KB171594

- 다시 읽는 -

신여성 창간호

(다시 읽는) 신여성 창간호

발 행 | 2023년 11월 22일
수 정 | 2024년 2월 20일
저 자 | 개벽사
역 자 | 한요진
펴낸이 | 한건희
펴낸곳 | 주식회사 부크크
출판사등록 | 2014.07.15.(제2014-16호)
주 소 | 서울특별시 금천구 가산디지털1로 119 SK트윈타워 A동 305호
전 화 | 1670-8316
이메일 | info@bookk.co.kr

ISBN | 979-11-410-5438-0

www.bookk.co.kr
© 한요진 2023
본 책은 저작자의 지적 재산으로서 무단 전재와 복제를 금합니다.

- 다시 읽는 -

신여성 창간호

개벽사 저
한요진 역

부크크

<번역에 사용한 참고자료 목록>

- 네이버 국어사전, 일어사전, 한자사전
- 한국민족문화대백과사전
- 국사편찬위원회: 한국사데이터베이스
- 국립중앙도서관
- 네이버 신문 아카이브
- 부인·신여성 3권 p. 23~28. '7. 주요 필진'(케포이북스, 2009)

※ 한자어 중 사전에 없는 단어는 한자의 뜻과 음을 적어두었습니다.
※ 일부 옛말은 현대어를 찾지 못하거나 뜻을 유추하지 못하여 원어 그대로 표기하였습니다.
※ 신여성 창간호 원문에 실린 만화 '여학생 백태'는 저작권법 준수를 위해(저작권 시효: 저작권자 사후 70년) 번역본에는 싣지 않았습니다.

<역자 소개>

한요진(韓耀縉)

문화학 박사. 코스튬플레이 아티스트.

저서: 대나무 숲 푸른 바람(2023, 부크크)
　　코로나19와 함께 한복, 코스프레(2022, 부크크)
　　나의 코스프레 철학 탐구(2021, 부크크)

전시: 전태일기념관 제2회 시민공모전 평화를 준수하라 참여(2023)
　　온고ing전 참여(2022)

목 차

◆ 어린이 특별호 ◆

[동화] 일곱 마리 까마귀 - 염원모

[동요] 형제별, 나비(이종)- 정순철 김용희

[수양] 자연의 대학교- 이병두

[훈화] 씩씩한 사람이 돼라-이룡순

[유희] 수포 주기 두 가지-박래옥

[동화] 세 가지 소원-이문준

[동요] 황금성-진장섭

[연극] 동물음악회-김형섭

[과학] 단 이야기 짠 이야기-정병기

[동화] 개금의 덕-임성록

[취미] 이상한 산술-잔물

[동화] 잃어버린 다리-몽중인

○ 이외에도 일곱 가지 재미있는 기사와 삼대(三大) 현상(懸賞)문제가 있고 또 사진 십여엽(十餘葉)과 동화극회 입장권까지 있고 정가는 단 10전입니다.

◆ 읽어 보십시오. ◆

곱고 아름답고 보드럽고 깨끗한 사람의 가슴속을 어떻게 하면 더럽히지 아니하고 더 곱게 더 아름답게 할까……. 이것뿐만을 위하는 고귀한 사업으로 본사에서 발행하는 「어린이」 잡지는 그 길에 연구가 깊은 소파 방정환 씨의 손에 곱게 맑게 편집되어야 천하 몇 만의 소년소녀는 물론이요 널리 나이 젊은 남녀의 품에까지 반가이 안겨 가게 되어야 전호 제 칠호는 절

판된 지 오래고 제 팔호는 특히 전선(全鮮) 소년 지도자 대회 기념 특별호로 짜인 것이라.

어린이 발행이래 처음으로 어여쁜 책으로 짜여진 것이요 내용은 재미(滋味)[1]있는 것만 추려서 이십여 문제 목이요, 그 외에 현상 문제 세 가지와 동화극 입장권까지 있는데 정가는 단 10전이니 이번 한 권은 반드시 사보시기 바랍니다.

- 경성 개벽사 진체경(振替京) 8106번 전화광 1104번 -

---

1) 자미(滋味): 재미의 잘못

남녀문제에서 인간문제에-큰 부정과 큰 긍정: 기전(김기전)[2]

1 말을 어디서부터 시작할까? 시작되는 대서부터 시작하자.

우리 사람이란 이름 속에 포괄된 남자와 여자 이 두 성의 인종은, 사람의 생존이란 것이 계속되면 되는 그때까지는 언제든지 대립해 있을 것이다. 만일 생물진화의 과정이 자웅동체로부터 자웅이체에 더듬어 들어가는 오늘이라 하면 진화 도중에 있는 이 사람이 비록 가깝게는 아닐지라도 머다란 어느 날에 남녀의 대립이라는 오늘 같은 현상을 아니 보게 될는지도 모르지만 행(복)이냐 불행이냐 생물진화의 과정은 그렇지도 아니하다. 분명하게도 자웅동체로부터 자웅이체에 도달했다는 사실을 보이며 있다. 남녀의 대립은 벌써 인간의 숙명이라 보지 않으면 안 되게 되었다.

또는 말이다, 여하히[3] 남녀의 대립이 우리 인간의 숙명이라 할지라도 그 수에 있어 남자가 여자보다 적게 되었거나 혹은 여자가 남자보다 적게 되었었다 하면 종다수취결(從多數取決)[4]이 세상의 통칙이 된 이상에 오히려 문제(남녀 간의 문제)가 간단히 낙착(落着)[5]될는지도 모르겠다. 그러나 실험유전학이나

---

2) 기전(起瀍): 소춘 김기전(小春 金起田). 독립운동가. 월간 잡지 <개벽(開闢)>의 최고 책임자.

3) 여하(如何): 성질이나 형편·상태 따위가 어떠하다.

4) 종다수취결(從多數取決): 여러 사람의 의견 가운데서 많은 사람이 지지하는 의견을 따라 결정함.

5) 낙착(落着): 문제가 되던 일이 결말이 맺어짐. 또는 문제가 되던 일의 해결을 위하여 결론이 내려짐.

또는 세포학이 가르치는 바에 의하면 남녀의 수는 언제든지 평균으로 존속되어 갈 것인바, 비록 맬서스[6]의 인구론으로 인구의 증식에 식량이 따르지 못할 염려는 있을망정 **남자나 혹은 여자에 부족을 느끼게 됨과 같을 일은 영원에 없으리라 한다**.

[2] 이러고 보면 사람으로 사는 이 세상에는 남자란 인종과 여자란 인종이 영겁에 대립할 것도 사실이오, 대립하되 양방이 반드시 평균 되는 수로써 될 것도 사실이다. 커다란 한 문제는 여기에서 생긴다. 아니 생길 수가 없는 것이다. 또 아니 생겨서는 안 된다. 무엇이냐 남성이란 어떤 것이냐 또 여성이란 어떤 것이냐 하는 그것이며 그래서 먼저 남성을 남성으로 주시하고 여성을 여성으로 주시하며 다시 남성, 여성을 어울러서 사람으로 주시하는 그것이다.

사람들아. 그대들은 과연 남성을 남성으로 주시, 여성을 여성으로 주시해 본 일이 있는가? 있다하면 남성과 여성은 각기 어떠한 특징을 가진 것으로서 그것들이 어우러져서 살아가는 데에는 과연 어느 점에서 서로 대치하고 어느 점에서 서로 포옹할 것이라 하는가? 이것을 주시치 않고도 우리가 리(理)에 틀리는 그릇된 문명, 그릇된 제도를 의식 교정할 수가 있으며 리(理)에 맞는 새 문명, 새 제도를 상상, 현출(現出)[7]할 수가 있을까? 그릇된 문명이니 새 제도이니 하는 것은 그만두고 일지라도 대체(大體)한 개(個)의 남자로서 또는 한 개의 여자로서의 할 바를 다 할 수가 있을까?

---

6) 토머스 로버트 맬서스(Thomas Robert Malthus): 영국의 경제학자이며 「인구론」의 저자.
7) 현출(現出): 드러나 나옴. 나타남.

여러 가지로 하고 싶은 말은 여기에서 뚝 끊어놓고 단순히 '여성' 문제 아니 오늘 조선 신여자로서의 생각할 바 문제에 대해서만 말하리라.

3 남자는 육적(肉的)이며 물적(物的)이다. 그러나 여자는 영격(靈格)이며 생명격(生命格)이다. 여자 그네 이야말로 천지창조를 완성한 자이다. 여자에게 생명을 내어준 후, 신은 이렇듯한 창작에 피로를 느낀 듯이 한번 큰 숨을 내쉬었다. 여자는 그 정으로 미(美)로 또 그 신격의 반영 그 천광의 발사로 늘 한층 남자의 우편(右便)에 올라설 것이다.

그러나 지금까지의 세상에서는 어찌하였는가? 이와 같은 여성을 제외하였다. 유린하였다. 우둘투둘한 그 주먹을 함부로 내두르며 남성 그들끼리 장한 체 하였다. 그 손으로 집을 짓고 칼을 짓고 성을 쌓고 담을 지었다. 그 솜씨로 다시 문명을 짓고 부강을 지었다. 그리하여 오늘의 세상은 확실히 과연 그들의 작품이 되는 동시에 그들의 영유(領有)[8]가 되고 말았다.

윗말은 어떤 다른 사람의 한 말인 동시에 우리가 하고 싶어했던 말이었다. 물론 현대의 문명을 짓고 부강을 지은 오늘까지의 남성의 활동은 사실 굉장한 그 점까지는 누구라도 이론(異論)[9]치 못하리라. 그러나 굉장한 그것뿐이 무슨 용처(用處)[10]가 있으리오. 오늘날의 그들은 자기가 지어놓은 그 굉장한 업적(가론[11] 문명, 가론 부강에) 자기네 스스로가 회의(懷

8) 영유(領有): 점령하여 차지함.
9) 이론(異論): 달리 논함. 또는 다른 이론(理論)이나 의견.
10) 용처(用處): 돈이나 물품 등의 쓸 곳.
11) 가론: 말하기를, 이른 바를 뜻하는 순우리말.

疑)[12] 하게 되었다. 한걸음 나아가서는 자기네 스스로가 저주하게 되었다.

보아라. 그들은 그 문명, 그 부강의 고맙고도 미우며 달콤하고도 쓴 그 무엇에서 벗어나기 위하여 얼마나 죽을 애를 쓰는가를.

요령만 들어서 말하면 오늘날까지의 남성-그들의 활동은 그 대부(大部)[13]에 있어서 **반성을 결여한 활동이었었다.** 여영[14] 염(念)감에 쏟아놓은 말처럼 도리에 벗어난 것이며 언덕에서 쫒긴 걸음처럼 방향을 잃은 것이었다. 그 말, 그 걸음의 조세(調勢)[15] 강하였다 하면 강한 그만큼 정도에서 멀어진 것이었다. 이를 조금만 더 자세히 말하면 오늘날까지의 남성의 활동이란 그것은 남성이란 여성보다 우월한 것이라 하는 그 흥에, 자기의 민족(혹은 씨족)이란 타방의 민족보다 우월하다는 그 맛에, 자기의 권력, 재산이란 다른 사람의 그것보다 우월하다는 그 흥에, 즉 이러한 따위의 광적(狂的) 폭적(暴的)[16] 기분 속에 저절로 엉덩춤이 추어져서 한참 뛰 놀았다는 그것뿐이다. 이렇게 뛰어난 활동에서 생긴 오늘의 문명이며 부강의 복음이 그 남성이 아닌 여성, 부강민족이 아닌 약소민족, 권력자도 부호자(富豪者)도 아닌 빈민을 제외하게 될 것은 기실 당연한 귀결이다.

흥이 다하여 슬픔이 오는 격이냐 그 우월감에서 날뛰던 우월

12) 회의(懷疑): 의심을 품음. 또는 그 의심.
13) 대부(大部): 책의 분량이 많음.
14) 여영: (餘榮) 죽은 뒤의 영화. 선조의 여광.
15) 조세(調勢): 호조세(好調勢): 상황이나 형편 따위가 좋아지는 기세.
16) 폭적(暴的): 사나운

급에 속한 그들의 머리도 이제는 아프기 시작되었으며 고통이 와야 담(甘)이 오는 격이냐 그 모든 우월급의 휘하에 들었던 대중도 이제는 나번득어리기[17]를 시작하였다. 반성하라, 개조하라의 외침은 세계의 구석구석에 들내인다.

한말로써 다하면 오늘의 세상은 지금까지 미친 기분에서 달음 쳐 나가던 그 방향을 한번 바꾸어 나아가려하는 사품[18]에 있으며 그 사품에 있어 가장 큰 부정과 큰 긍정을 가지고서 싸워나가고 일해 나아갈 이가 일 백 여자이며 비록 여자는 아닐지라도 여자와 같이 이 문명, 이 부강의 조성 향락에서 제외된 저 남자 중에서의 가련한 일군(一群)[19]이라는 말이다. 이것은 오늘 세상의 전국(全局)[20]을 통해서 할 말이 되는 동시에 우리 조선의 오늘을 위해서 하는 말이 되는 것이다.

저 남자 중의 가련한 일군과 힘을 아울러 새 세상 창조(刱造)의 흥업자(興業者)가 되리라.

이것이 오늘 여자 특히 신여자로서의 가질 공통한 이념이 아닐까.

여자 자신이 먼저 여성 자기를 주시하고 남성 그것을 주시하여 현재대로의 여성과 현재대로의 남성이 뒤를 이어서 지어 나온 이 세상, 이 사회란 것을 주시하여 거기에서 큰 부정을 얻고 큰 긍정을 얻으라.

이것이 역시 오늘 여자-신진 여자로서의 가질 첫 각성이 아닐까.

---

17) 나번득이다: 잘난 체하고 함부로 덤비다.
18) 사품: 어떤 동작이나 일이 진행되는 바람이나 겨를.
19) 일군(一群): 한 무리. 또는 한 패.
20) 전국(全局): 전체의 국면이나 판국.

④ 적어도 여자고등보통학교 삼학년 정도 이상의 학급에 재학하는 여자며 또는 보통학교를 위시하여 각종의 학교에나 강습소에나 또 혹은 유치원에 교편을 잡은 여러 여자야 직접으로 전문으로 사회의 일을 위해서 힘을 쓰기로 작정하고 국내 국외에서 분투, 진췌(盡悴)[21]하는 여자 여러 사람아, 당신들의 주소와 씨명(氏名)[22] 또 연세는 서로 다름이 있다 할지라도 당신들은 다 같이 신여자란 칭호에 포포(包抱)[23]된 신여성이라. 당신들은 정말 어떻게 함으로써 '신여자'라는 칭호 밑에서 새어드는 직책을 다하려 하는가.

일반으로는 그렇다는 것은 아니나 신여자라는 당신들 중에는 애틋한 신랑에 푸근한 가정을 찾아들어 종래의 복잡하던 고뇌를 후회하는 듯이 잽싸게 평안을 취하는 자가 있으며 천박한 동기에서의 연애 자유를 공소(空嘯)[24]하야 조동모서(朝東暮西)[25]에 자기의 생명이 염매(廉賣)[26]되는 줄을 잊어버리는 자가 있으며 이와는 퍽 틀린 동기에서 여자 사회의 개량, 발전을 도모한다는 미명 밑에서 말 좋게 현모양처 주의를 고조하거나 실력양성을 표방하여 뒤통수에 눈 박힌 사람의 걸음과 같이 나아가노라 하나 실은 뒷걸음침과 같은 기현상을 나타내게 하는 자도 없지 아니하다. 오늘 신여자인 당신들은 이 현상을 무엇

---

21) 진췌(盡悴): 몸이 여위도록 마음과 힘을 다하여 애씀.
22) 씨명(氏名): 성명(姓名)
23) 포포(包抱): 감쌀 포(包), 안을 포(抱)
24) 공소(空嘯): [일본어](空嘯く. そらうそぶ-く): 하늘을 쳐다보고 콧방귀 뀌다. 짐짓 시치미 떼다, 모르는 체하다.
25) 조동모서(朝東暮西): 아침에는 동쪽, 저녁에는 서쪽이라는 뜻으로, 일정한 주소가 없이 이리저리 옮겨 다니는 생활을 이르는 말.
26) 염매(廉賣): 물건을 싸게 팖.

으로 보고자 하는가.

이제부터는 다달이 토의할 문제이라 더 길게 말하지 않겠다.

우선 서론같이 쓴 것이 이것이다. 읽은 이 중 단 몇 사람에게 일지라도 여성 대 구(舊) 문명, 여성 대 신사회의 지위급 임무를 의식하는 단서가 되었으면 기쁘겠다 할 뿐이다.

여자로서 먼저 사회의 투사가 돼라: 이돈화(李敦化)[27]

이즈음 여자 해방 문제에 대하여 이른바 새 사상을 가졌다 하는 사람들은 여자 해방은 가까운 장래에(우리 조선에서) 쉽게 이뤄지리라 믿고 있습니다. 나도 그렇게 생각하는 사람 가운데 한 사람입니다. 그러나 이 문제를 깊은 원인에 들어가 생각해보면 여자의 해방은 자못[28] 생각뿐 또는 선전뿐 혹은 남녀 사이의 양해와 사랑의 부조(扶助)[29] 뿐으로 될 것이 아니요, 남녀 사이에 이뤄진 사회제도가 근본으로부터 어떻게 되기 전에는 그따위 것은 한가지로 형식에 떨어지고 말뿐입니다.

나는 이렇게 생각합니다. 대개 여자 해방이라 하는 조건 가운데는 경제 문제, 생식 문제가 해방되지 않고는 언제든지 근본적 해방은 되지 못할 것이요, 그리하여 이 경제 문제, 생식 문제가 해방이 되려면 불가(不可)[30] 불현(不現)[31] 사회제도라는 것을 고치기 이전에는 안 될 일이라 합니다.

경제 문제라 하는 것은 여자의 경제를 독립시켜야 한다는 것이니 이 문제는 유럽 어떤 나라에서는 이미 해결된 문제였으나 동양, 특히 우리 조선에는 아직 문제에도 걸리지 않고 있습니다. 생각해보시오. 여자에게는 독립적 경제가 서지 않는 우리

---

27) 이돈화(李敦化): 천도교인. 잡지 개벽사(開闢社)를 창설했다. 일본식 이름은 시로야마 가쓰쿠마(白山一熊)로 친일반민족행위 705인 중 1명이다.

28) 자못: 생각보다 매우, 퍽

29) 부조(扶助): 잔칫집이나 상가(喪家) 따위에 돈이나 물건을 보내어 도와줌. 또는 돈이나 물건.

30) 불가(不可): 옳지 않음. 가능하지 않음.

31) 불현(不現): 나타나지 않음

조선에서 그들이 무슨 자유를 가질 수 있습니까? 여자에게 경제적 독립을 허하지 않고 다만 자유를 허한다는 것은 비유컨대 고기에게 물을 주지 않고 자유를 얻으라 하는 말이며 새의 날개를 잘라버리고 공중에 날아가라 하는 말과 무엇이 다릅니까? 조선 여자에게는 금전의 독립권이 없는지라 그들의 생활은 불가분[32] 어려서는 부모에게 의탁하여 얻어먹게 되고 자라서는 사내에게 의탁하여 얻어먹을지며 늙어서는 자식에게 의탁하는 외, 다른 도리가 없나이다. 그러므로 여자에게 대한 모든 생활은 노예적이었습니다. 자기의 자유의사로 한 가지 일이라도 경영할 길이 없어왔습니다.

다음 생식 문제라는 것은 자못 선천적 문제인 까닭으로 사람들은 이 문제로부터 생각해야 가지고 여자는 선천적으로 절대한 자유는 없을 것이라고 주장하는 사람까지 있습니다. 여자는 인류 번식 상, 자녀의 생장 임무를 선천적으로 맡은 까닭에 이 문제는 인위적으로 해결치 못할 것 같이 생각합니다. 물론 생식 문제에 대한 여자의 소임은 선천적입니다. 여자가 아무리 자유를 얻는다 할지라도 자녀의 생산을 금할 수는 없습니다. 그러나 자녀를 생산하는 것뿐으로 자유가 있다 하는 말은 안 된 말입니다. 현 사회제도 안에는 특별 동양의 윤리에는 여자의 소임을 다만 자녀를 생산하는 것뿐만 아니하고 나아가는 자녀를 성장해 주는 소임까지 맡은 고로 이 점이 여자의 가장 부자유한 제도인 것입니다. 만약 이 사회제도가 자녀의 양성하는 특별기관이 국가 또는 사회 공동적으로 있다하면 여자는 오직 생산의 고통을 가졌을 뿐으로 나아가 그를 양성하는 고통까지

32) 불가분(不可分): 나눌 수가 없음.

말지 않을 것이올시다. 그러므로 여자의 참된 해방은 결국 이 사회에 유아 또 아동의 공동 양육 기관이 속히 설립되는데 있다합니다.

여러분이 오늘날 세상에 있어 다만 사랑으로, 다만 연애로 다만 애걸로 여러분의 평등 자유를 얻고자 하는 것은 마치 고양이에게 물린 쥐가 애걸과 사랑으로 삶을 얻고자 함과 다름이 없습니다. 여러분의 오늘날 임무는 오직 ○○입니다. 구 논리에 그리하며 구 도덕에 그리하며 사회에 그리하며 남자 부모 모든 이에게 그리하여 ○○과 ○○이 연결하는 곳에 사회의 제도가 개조될 것이오, 제도가 개조됨에 따라 여러분의 자유는 스스로 얻을 것이올시다. 아는가? 새 여자들이여!

※ 본문 내 ○○은 원전에도 ○○으로 표기되어 동일하게 옮겨놓았습니다. 부분 검열된 것으로 추정됩니다.(역자)

여학생들에게 부탁하는 말: 각 학교 교장

여학생에게 부탁하는 말을 취하려면 그 방면이 많을 것이다. 모든 남성으로부터, 모든 여성으로부터, 또는 부모로부터, 동무로부터, 다 각각 한마디씩은 있을 것이외다. 그러나 그 방면에 가장 통한 이, 그들을 위하여 가장 많이 아는 이가, 그 중 더 긴절(緊切)한[33] 부탁이 있을 것이외다. 이에 우리는 각 여학교 당국자(當局者)[34]로서 그 학생에게 부탁하는 단편을 모아 여학생 제군에게 소개합니다.

편집의 때가 마침 하기(夏期) 방학 중이라 각 여학교 당국자 중 여행 중에 계신 이가 많아서 두루 그 말씀을 소개 못한 것은 유감입니다.

- 원고(도)착순 -

○ 고상한 취미를 가져라
: 경성여자고등보통학교장 오사다토미사쿠(長田富作)

내가 여자계에 대하여 바라는 것은 여러 가지가 있습니다. 그러나 제일 절실하게 바라는 것은 취미를 고상하게 가지고 전아(典雅)하게[35] 가지라 하는 그것이올시다. 물론 지금의 여자가 누구든지 취미를 가지지 아니한 바는 아니지만 대개는 그 취미가 비야(鄙野)하고[36] 저하(低下)한데서 벗어지지 못하여

33) 긴절(緊切)하다: 매우 필요하고 절실하다.
34) 당국자(當局者): 그 일을 맡아보는 자리에 있는 사람.
35) 전아(典雅)하다: 법도에 맞고 아담하다.
36) 비야(鄙野)하다: 상스럽고 천하다.

혹은 음식에 취미를 붙이고 혹은 의복에 취미를 붙이며 혹은 목전의 오락에 다만 취미를 붙입니다. 그 결과로 모두 허영, 사치, 부박(浮薄)[37], 방종 등에 빠지고 고상하고 원대한 길로 나아가지 못합니다. 그와 같이하면 어찌 우리의 가정생활을 개선하고 불완전한 사회를 개선하며 나아가서 인간 생활을 향상케 하고 온 세계를 개척하여 여자의 사명을 완전히 하겠습니다. 물감(勿憾)[38] 사람마다 취미는 각각 다르니까 일치하지는 못한다 할지라도 어디까지든 고상하고 전아하게 하지 아니하면 안 될 것이올시다. 어느 점으로 보든지 여자는 고상하고 전아한 취미를 가지는 것이 필요합니다.

○ 동덕여학교장 조동식씨의 "조선적 신여자가 되라."는 원의 삼십 행은 삭제 당했습니다.

○ 미안합니다.

: 숙명여자고등보통학교 교무주임: 야마노우에초지로(山野上長次郞)

나는 다음 제2호로나 밀어주십시오. 창간호가 될 구월호에는 손쉽게 얼른 뭐라고 말하는 것이 좀 경솔한 것 같습니다. 나는 경솔한 것은 피하고 싶습니다.

○ 네 일을 네가 하라

: 이화여자고등보통학교 교무주임 안형중

37) 부박(浮薄)하다: 천박하고 경솔하다.
38) 물감(勿憾): 말 물(勿), 서운할 감(憾)

나는 모든 것에 대하여 여러 가지 의미로 학생들에게 이러한 말을 항상 합니다.

"너희는 네 일을 네가 해라. 네 일을 앞에 놓고 남의 눈치를 보지 마라."

○ 사회적 교육

: 진명여자고등보통학교 부교장: 코스기히코지(小杉彦治)[39]

지금 조선 여자 교육계는 흡사 일본 유신(唯新) 이후 얼마 동안 계속된 상태와 같이 정돈이 되지 못했다고 생각합니다. 지금 필요한 것은 취미 교육이니 무슨 교육이니 하는 것보다 학교와 가정과 사회와 연락을 얻게 하는 귀지(貴誌)[40]와 같은 것이 많이 있어서 학생으로 하여금 자유로이 사회적 교육을 받게 하는 것이 가장 필요하다고 생각합니다.

39) 원 표기는 '小杖彦治'이나 국사편찬위원회가 제공하는 한국근현대인물자료를 찾아본 결과 원전 자체의 오기였습니다. 이에 따라 바른 인명으로 바로잡아 수정합니다.(역자)

40) 귀지(貴誌): 주로 편지글에서, 상대편이 소속된 기관에서 발행하는 잡지를 높여 이르는 말.

「부인」을 보내고 「신여성」을 맞으면서: 박달성[41]

[1] 현대인이 보통으로 부르짖는 자유! 평등!

이 말은 어디서 나온 말이냐? 물론[42] 사람의 입에서 나온 말이다. 사람의 입에서 왜 이 말이 나왔느냐? 사람은 물론-자유요, 평등이니까 의례로 나온 말이다. 물론-자유요 평등이면 말치 아니해도 의례로 자유요 평등이겠지. 하필 이제야 발견한 듯이 이제야 그리된 듯이 전에 없던 그 소리가(있다 해도 숨어 있거나 끼워있었다.) 이제 와서야 사내고 계집이고 어른이고 어린이고 한꺼번에 왁자자-하고 떠들 것이 무엇이냐? 속담에 "우리 집 소는 새끼를 하나만 낳아서요." 하니까 새끼가 둘 나온 줄 알렸다하듯이 자유 평등을 자꾸 말하는 것을 보니까 자유 평등이 아니었던 것을 알겠다. 근래 자유요 평등이면 마치 아닌들 누가 아니라하겠는가.

그런고로 말이다. 영리한 듯하고도 미혹한 것은 사람이다. 자유요 평등이면서도 몰라왔고 알면서도 그대로 행치 못하였었다. 지금 와서 자유, 평등을 말하고 떠든 들 그것이 실행될는지 또한 의심이다. 그러나 사람은 자유며 평등인 것은 사실이다. 사람이 사람끼리 서로 위로삼아 듣기 좋게 말하느라 억지로 그리하는 말이 아니라 실상으로 그러하다. 실상 그런 것을 어떻게 아느냐? 어떻게 증명하느냐 하면 학리적(學理的)[43]으로 길게 주워댈 것 없이 간단한 한마디로써만 한다 해도 역력히 알

---

41) 박달성: 천도교인, 신여성 창간호 편집인, 1920년대 문화운동가.

42) 원 표기: 毋論(모론)

43) 학리적(學理的): 학문에서의 원리나 이론에 바탕을 둔

수 있다.

자유를 말하는 자에게는 반드시 자유의 소성(素性)[44]이 있고 평등을 말하는 자에게는 반드시 평등의 소성이 있다. 그 소성이 없다하면 명사(名辭)[45]부터 지을 수 없고 말부터 나올 수 없다. 따라서 바라지도 못하는 것이다. 밥을 말하여 밥을 먹겠다는 자는 반드시 밥을 먹을 만한 소성이 있고 물을 말하여 물을 구하는 자는 반드시 물을 마실 만한 소성이 있다. 소성이 있는 고로 말하고 구하고 구하면 능히 먹고 먹으면 능히 소화한다. 만약 말하고 구해서 얻지 못하면 그는 밥과 물에 따른 사단(四團)의 형편이 불급(不及)[46]하였다 할지언정 사람에게 그 소성이 없다고는 못하는 법이다. 또한 구하여 먹은 뒤에 소화가 못되고 영양이 못되었다 하면 그는 소화기의 고장 영양질의 불선(不善)을 말할지언정 소화의 소성, 영양의 소성이 없었다고는 말치 못한다.

자유 평등도 또한 그렇지 않으랴? 그를 말하고 그를 갈망하는 것은 그리할만한 소성이 있는 까닭이다. 각각 그 소성을 발휘하고 그 소성을 그대로 보지(保持)[47]하는 그 정점(頂点)은 곧 자유요 평등이 아니랴.

이것을 세상 사람은 몰랐었다. 아니 모른 것이 아니라 말치

---

44) 소성(素性): 본디 타고난 성품

45) 명사(名辭): 하나의 개념을 언어로 나타내며 명제를 구성하는 데에 요소가 되는 말. 흔히 명사 하나로 이루어지지만 ‘한국에서 제일 높은 산’처럼 여러 개의 낱말로 이루어지기도 하며, 주사(主辭)와 빈사(賓辭)로 나뉜다.

46) 불급(不及): 약속하거나 기약한 시간에 미치지 못함. 일정한 수준이나 정도에 이르지 못함.

47) 보지(保持): 온전하게 잘 지켜 지탱해 나감.

아니하고 행치 아니하였다. 그러나 그 소성은 언제든지 묻혀있지만 못한다. 결국은 폭발되고야 만다. 이제는 그것이 폭발되었다. 알았다 말한다, 행하려 한다. 소성은 분명히 발로(發露)[48] 되었다. 누구나 말하면 소성 그대로를 발로하며 신장(伸張)[49] 하며 그리하여 확보하려한다. 이것이 현대의 높은 소리, 많은 소리, 힘 있는 소리 그리될 것을 증명하는 가장 실(實)되고 참되고 값있는 소리이다.

이것을 확실히 깨달은 데서 여러 가지 새 문제가 탁 터져 나왔다.

2 개성 존중! 사람 성(性) 그대로!

개성을 높이자. 사람 성(性) 그대로 살자. 그러니까 남성은 남성 그대로 여성은 여성 그대로 서로 편해도 말고 서로 압박도 말자. "말자." 하는 인간 고의행동이 아니라 침해도 못하고 압박도 못한다. 그저 자유이다. 그저 평등이다. 이것이 인생의 원리이며 마땅히 그리될 사실이다.

3 여권 존중! 여성 독립!

지나간 여권은 높았든지 낮았든지 지나간 여성은 독립이었든지 부속이었든지 묶어서 치우고 이제부터는 사람 성원리(性原理)에 의하여 새로 새 여성을 짓자. 새로 새 여성이 아니라 본래의 사람 성(性) 곧 본래의 여성 자유요, 평등이요, 존귀요, 독립이요, 무한히 발달, 영원히 존재하는 그 성(性), 그대로 발

48) 발로(發露): 숨은 것이 겉으로 드러나거나 숨은 것을 겉으로 드러냄. 또는 그런 것.
49) 신장(伸張): 세력이나 권리 따위가 늘어남. 또는 늘어나게 함.

하자는 것이다. 여기에서 신여성은 나왔다.

4 신여성!

신여성이라 한다고 여성 그것이 근본부터 없어지고 새 여성이 창조되었다는 말은 아니겠다. 그러나 과거의 여성이란 여성의 원리에 합(合)지 못하였으며 여성의 원리에 죄를 지었으며 여성을 통틀어 매장한 셈이었으니까 이제 개조니 혁신이니 할 것 없이 여성 창조라 함도 가당하겠다.

여성은 창조해야겠다. 여성뿐 아니라 인간성을 창조해야겠다. 창조는 곧 새것이니 새것은 옛적에 보지 못하던 것이다.

이것이 현대인의 각성이요 이것이 현대인의 부르짖는 소리이다. 과거의 인간이란 하시하비(何是何非)[50]를 막론하고 전부들어 장사(葬事) 지내고 새로 새 인간성을 창조하자. 그리하여 새 인간으로 새 세계를 만들고 새로운 생활을 하자.

5 사람은 시대를 따르지 못하면 죽는 것이며 일은 사람을 중심 잡지 않으면 헛것이 되고 마는 것이다. 시대가 새로 왔고 사람이 새로워졌으니 시대에 서서 사람과 같이 나아가는 개벽사(開闢社)의 「부인」 잡지가 어찌 새로워지지 않으랴. 혁신하자. 변경하자. 이름이고 성질이고 고칠 수 있으면 통틀어 고치자. 이것이 새 사람의 새 일이며 시대적 부인으로의 마땅히 행할 일이다. 이에 개벽사는 풍풍우우(風風雨雨)[51] 과거 일 년이 개월의 세월 즉 십사호의 영(齡)[52]을 먹기까지에 시비 고락

---

50) 하시하비(何是何非): 어느 것이 옳고 그른가
51) 풍풍우우(風風雨雨): 모진 풍파
52) 영(齡): 나이

을 같이하던 「부인」 잡지를 섭섭하나마 애처로우나마 단연(斷然)[53]히 보내게 되었다. 그리고 「신여성」을 맞게 되었다. 사정으로 생각(生覺)하면 물론 섭섭하다. 창연(悵然)[54]하다. 장부(丈夫)나마 부인을 보내기에는 일국(一掬)[55]의 루(淚)[56]가 없지 못하다 보내면 다시 오지 못하겠고 보내면 영원히 가고 마는 것이니까 더욱 불쌍하다. 고왔든지 미웠든지 일 년이 넘도록 고락을 같이 하였고 이로웠든지 해로웠든지 십 사령(十四齡)이 되도록 살림을 같이 하였나니 감정을 가진 사람으로 어찌 석별(惜別)[57]의 회(懷)가 없으랴.

그러나 생각하면 섭섭할 것도 없고 별루(別淚)[58]까지에 미칠 것은 없다. 그가 간 대(代)에 「신여성」이 왔다.

「부인」과 「신여성」은 아주 딴 것이 아니라 부인의 후신이 곧 신여성이 아니냐. 보내는 「부인」에 미진한 정을 오는 「신여성」에 붙여주면 그만이겠다.

이것도 또한 이른바 아녀자의 곰상곰상한 말이다. 당연히 보낼 것이고 당연히 맞을 것이다. 시대지(時代遲)[59]의 그것은 사정없이 선뜻 보내고 시대 합(合) 하는 그것은 주저 없이 얼핏 맞는 것이 현대인으로 당행(當行)의 사(事)이다.

「부인」을 보내고 「신여성」을 맞음이 현대 결혼 자유, 이혼 자유를 절규하는 청년 남녀에 호개(好個)[60] 선례가 아닐는

53) 단연(斷然): 확실히 단정할 만하게
54) 창연(悵然): 몹시 서운하고 섭섭함.
55) 일국(一掬): 한 움큼
56) 루(淚): 눈물
57) 석별(惜別): 애틋한 이별
58) 별루(別淚): 이별(離別)할 때에 슬퍼서 흘리는 눈물.
59) 시대지(時代遲): 때 지난

지?

아- 보낼 이 보내고 맞는 이 맞자. 그리하여 지나간 그를 말할 것 없고 새로 온 이를 위하여 말해보자. 실컷 해보자.

60) 호개(好個): [일본어] (こうこ, 好個·好箇) 적당함. 알맞음.

첫가을 학기초: 춘파(春坡, 박달성)[61]

9월이외다. 첫가을이외다. 산들산들한 새 바람이 불기 시작합니다. 산 밑도 말쑥해지고 태공(太空)[62]도 높아집니다. 매미 소리 드물어지고 귀뚜라미 소리 자주 들립니다.

아- 경쾌(輕快)한 가을이외다. 배울 때외다. 외울 때외다. 2학기 초이외다. 책보(冊褓)[63]를 끼고 교문을 향할 때외다. 책상(冊床)을 벗하여 등불을 친(親)할 때외다.

우리는 그간 혹독한 더위도 물리쳤고 지루한 장마도 이겨냈습니다. 그리고 산과 들에 심신을 잘 단련(鍛鍊)[64]하였으며 고향과 가정에서 즐거움도 많이 보았습니다. 이제 우리에게 당한 것은 배울 것 외일 것 그것뿐이외다. 아침 일찍 일어나 새 맑은 물에 세수를 하고 뜰이나 후원에 서너 걸음 산보(散步)[65]하면서 맑은 공기 서늘한 바람에 심신을 가다듬어가지고 책상을 대하여 한 시간쯤 착실히 예습(豫習)[66]을 함에도 이때이고 아침을 알맞춰 먹고 책보를 곱게 싸서 들고 옷을 단출히 단장하여 아침 해를 안고 날름날름 학교로 향할 때도 이때이외다. 널따란 운동장 나무 아래서 수정 같은 아침이슬을 한 방울 두 방울 맞아가면서 동무들과 같이 한참이나 유희(遊戲)를 하다가 땡땡 울리는 종소리를 따라 교실로 들어가 선생님의 강화(講

---

61) 춘파(春坡): 박달성(朴達成)
62) 태공(太空): 아득히 높고 먼 하늘
63) 책보(冊褓): 책을 싸는 보자기. 책보자기.
64) 원 표기: 연하(鍊鍛)
65) 산보(散步): 산책
66) 원 표기: 예습(預習)

話)[67]를 열심히 들을 때도 시가(市街)[68]를 넘고 집 그늘은 마당을 덮었을 때 경쾌한 운동복으로 라켓을 휘날리며 이리 뛰고 저리 뛰어 신체를 단련함도 이때이외다. 그리고 밝은 달 서늘한 바람 앞에서 바늘을 잡아 수(繡)를 놓음은 얼마나 재미스럽겠습니까.

아- 1년 중 가장 즐겁고 일 많이 할 때는 왔소이다. 밥도 잘 먹히고 잠도 잘 오고 공부도 하기 좋고 유희도 하기 좋은 첫가을이외다.

우리는 그간 산과 바다 고향과 가정에서 유쾌(愉快)히 단련한 그 건강, 그 정신으로써 서늘한 가을 맑은 공기를 호흡(呼吸)하면서 책상을 향하여 차츰차츰 다가앉는 것으로써 유일(惟一)의 낙(樂)을 삼읍시다.

67) 강화(講話): 강의하듯이 쉽게 풀어서 이야기함. 또는 그런 이야기.
68) 시가(市街): 도시의 큰 길거리

악단의 비단막을 열고서: 한기주(韓琦柱)[69]

<가을은 음악의 철>

벌써 가을철이 되었습니다.

그 귀엽고 청초한 코스모스 꽃이 어여쁘게 피어나는 가을철이 되었습니다. 그리고 사람사람이 마음속으로부터 소생될 수 있는 음악의 철인 새 가을이 반갑게 찾아왔습니다. 혹독한 더위와 지루한 장마가 우리에게 괴로웠으면 괴로웠던 만큼 마음과 새 기쁨을 주는 정답고 반가운 철이겠습니까. 무겁게도 내리누르는 여름 하늘은 맑게 서늘하게 높아가기를 시작하였고 아침과 저녁으로는 산들산들한 기운이 스며와 그립던 정다운 가을은 기껍게도 우리를 찾아왔습니다.

아아, 신량(新涼)[70]의 가을, 소생의 가을! 많은 기쁨과 보람을 가지고 새 가을은 왔습니다. 하늘은 높고 달은 밝아가는데 아름다운 가을별은 찬란히 빛나겠지요. 들은 살찌고 물은 맑아가는데 이름도 없는 벌레는 쓸쓸한 노래를 부르겠지요. 가을은 음악의 철-. 악단의 비단막도 이때에 열립니다.

사람의 사는 곳마다 여기에도 저기에도 성대하게 음악회는 열릴 것이고 가지가지로 곱고 아름다운 소리는 첫가을 새 기운과 같이 맑게 흘러날 것입니다. 거기에 인생과 자연은 미묘한 조화를 얻고 그 조화 속에 우리의 생활은 순화될 것입니다. 아아-복(福)된 가을! 음악의 열은 왔건만…….

---

69) 한기주(韓琦柱): 우리나라 최초의 소프라노
70) 신량(新涼): 초가을의 싸늘한 기운

<조선 여자와 음악>

조선에도 가을은 왔습니다. 그러나 악계(樂界)에는 그 어떠한 곳이 피겠습니까? 조선 사람은 무엇을 어떻게 노래하며 무엇을 듣고 무엇을 즐기겠습니까? 생각이 여기에 이르면 겨울바람보다 더 쓸쓸한 바람이 내 가슴에 붑니다.

넉넉히 알지 못하는 내 지식으로 무엇을 당당하게 음악을 논의하겠습니까만 특별히 「신여성」 독자이신 부녀 여러분께 드리려고 이 붓을 든 것은 실로 이 쓸쓸한 느낌을 가진 까닭입니다.

우리 조선 여자계(女子界)의 교육은 그 날이 짧은 만큼 아직도 한심한 형편에 있다하겠지만 그 중에도 그야말로 비참하게 거의 문제도 되지 못하고 그냥 버려둔 채로 있는 것이 음악입니다. 왜 그렇게 음악은 버린 채로 버려두고 지내왔을까? 그것은 지금 사람들의 완고한 부모가 첫째 인생의 생활에 음악이 어떻게 치중(致重)[71]한 관계를 가진 것을 이해하지 못한 까닭이요, 둘째 종래의 조선 음악이 변태(變態)[72]로운 길을 밟아온 까닭입니다. 첫째의 인생 생활에 대한 음악을 이해치 못한 것은 다시 말씀할 것도 못 되거니와 둘째의 이유는 대개 이러합니다.

조선에서 현재 음률이라 하면 악기부터도 그 종류가 여러 가지 많으나 보통 민간에서는 그중 거문고, 양금, 가야금, 단소 등이 상용 악기로 쓰여왔습니다. 그런데 양금, 거문고 등을 취

---

71) 치중(致重): 치중(置重)의 다른 표현으로 추측됨(역자). 치중(置重): 어떠한 것에 특히 중점을 둠.
72) 변태(變態): 본래의 형태가 변하여 달라짐. 또는 그런 상태.

미로 농탄(弄彈)[73]한 남자가 간혹 몇 사람 숨어있었던 외에는 전혀 민간 가정에서는 이름도 들을 수 없었고 음률이라면 여자면 창녀, 매소부(賣笑婦)[74], 남자면 난봉이라는 부랑배, 광대들이 악기를 사용하며 구창(口唱)[75]까지 해왔습니다. 이리하여 음률이라는 음자만 들어도 창부, 부랑배를 생각하게 되어왔으니 어떻게 지금 부모님들이 사랑하는 따님에게 음악 공부를 장려(奬勵)는커녕 허락이나 하시겠습니까.

<음악에 대한 이해와 새 태도>

누구를 탓하고 누구를 원망하겠습니까. 오직 지나간 날에 우리가 너무도 무식하게 생활 의식이 어리었던 까닭입니다. 그러나 지나간 때는 몰랐으니까 그랬다고 하려니와 이제부터라도 우리는 어떻게 해야 하겠습니까? 우리 스스로가 음악에 대한 충분한 이해(理解)를 가져야 할 것이고 우리 스스로가 종래와 다른 태도로 음악공부를 쌓아가야 할 것입니다.

그러나 지금 겨우 조선 국문이나 아시는 부인 여러분께(여학생은 별문제지만) 음악을 이해하시라거나 전문적으로 공부하시라는 것은 무리한 주문일 것입니다. 사람에 의해서는 잘하시면 오락적으로는 되겠지요. 그러나 상당한 공부를 하시기는 난사(難事)[76]입니다. 이러하니 또 기위[77] 못 배우게 된 것은 부모

---

73) 농탄(弄彈): 희롱할 롱(弄), 연주할 탄(彈)
74) 매소부(賣笑婦): 돈을 받고 남자에게 몸을 파는 여자
75) 구창(口唱): [일본어] (こうしょう), 구송; 소리 내어 읽음
76) 난사(難事): 처리하기 어려운 일이나 사건
77) 기위(旣爲): 다 끝나거나 지난 일을 이를 때 쓰는 말. '벌써', '앞서'의 뜻을 나타낸다.

원망밖에 할 곳 없으실 것입니다. 그러면 여러분은 불행히 부모를 원망하게 되었을망정 여러분 자신이 원망 받을 부모가 되어서는 아니 될 것이오니 여러분의 귀애하시는 동생이나 아들 따님에게 음악 지식을 잘 넣어주시도록 힘써 노력하시지 않으면 안 될 것입니다.

<어렸을 때부터>

그러면 자녀의 음악교육은 어떻게 하랴, 이것이 문제이겠습니다.(그런데 여러분 독자는 음악 교육할 사람이 아니시니까 교수방법은 말씀 않겠습니다.)

어떠한 학문이든지 유시(幼時)[78]부터 시작하는 것과 같이, 아니 그보다도 더 음악은 어릴 때부터 가르치는 것이 필요합니다. 7-8세 때의 보통학교로부터 고등학교 졸업하기까지는 보통 일선 지식을 균등히 교육하기 위하여 창가(唱歌) 시간을 몹시 간략하게 넣은 고로 그것으로는 도저히 효과(効果)[79]를 보지 못할 것인즉 그것을 보충하기 위하여 어렸을 때부터 자주 자주 좋은 음악을 귀에 듣게 하시고 학교 이외에 개인 교수를 받게 하시다가 고등학교 졸업 후에는 전문으로 수련시키셔야 될 것입니다. 근래 조선에서 자주 연주하시는 이들도 대개는 15-16세 혹 20세 씩이나 넘어서 일시의 충동어로 음악 공부를 시작하시니 어찌 충분히 될 수 있겠습니까. 연주하는 것이나 또는 붓으로 지어 쓰는 것도 몹시 빈약한 것을 느낍니다.

---

78) 유시(幼時): 어릴 때
79) 효과(効果)

이탈리아 사람으로 세계적 대 성악가 카르소[80]는 3-4세 되는 애아(愛兒)[81]를 두고 몇 해 전에 세상을 떠났습니다. 그 아이는 부친의 성악을 항상 듣고 있습니다. 그런데 어느 때 카르소의 친우가 와서 그 집에서 슬픈 곡조로 노래를 부르니까 그 어린아이가 그 곡조를 듣고 어찌 감격하였던지 별안간 울었다 합니다. 어렸을 때부터 좋은 음악을 자주 들려주는 것이 크게 유익한 일이며 더구나 음악교육의 터를 닦아주는 것임은 이것을 보아도 알 수 있는 일인가 합니다.

<나머지 잡감(雜感)[82]과 희망>

이야기가 딴 길로 듭니다만 말씀하던 터이니 마저 할까 합니다. 요사이 조선 각지에 음악회가 훌륭히 자주 열리는 것은 반가운 현상입니다. 그런데 그 음악회마다 거기에 출연하는 연주자가 대개 어떤 사람입니까. 생각건대 고등 정도의 학교에서 보통 간이 음악을 학습했거나 혹은 단독으로 오락적으로 연습하다가 나오는 이가 반수 이상인 것 같습니다. 그분들이 연주하는 것을 들으면 넉넉지 못한 지식을 가진 우리가 들어도 (일일이 예를 들 필요는 없으나) 참으로 말 못되게 유치(幼穉)[83]한 것이 많습니다. "음악회도 너무 흔하고 천해져서……." , "음악 타락일세," 하는 소리가 흔히 떠들게 한 원인도 여기 있는가 합니다. 거기 따라 우스운 것은 청중입니다. 연주를 상당히 들으시는 이도 많겠지만 반수 이상은 멋모르고 듣고 있습

---

80) 엔리코 카루소(Enrico Caruso): 이탈리아 성악가. 1873-1921.
81) 애아(愛兒): 사랑하는 어린 자식
82) 잡감(雜感): 온갖 느낌. 온갖 감상(感想).
83) 유치(幼穉): 유치(幼稚)하다: 나이가 어리다. 수준이 낮거나 미숙하다.

니다. 그 중에 듣고 나서 비평 혹 감상이 우습지요. 멋모르고 남이 박수하니까 건달도 따라 박수하여 재청(再請)하거나 그렇지 않으면 "그거 알 수 있어야지 음성은 크더군.", "손이 불날 듯 하던데.", "태도가 됐다. 안됐다.", "멋이 들었어. 안 들었어." 하고 이렇게 짓거릴 뿐이고 그 곡조가 여하(如何)타거나 연주자의 기술이 여하타는 말은 없습니다. 이런 일이 결국 출연자의 인물구경이나 하려는 심정을 가진 까닭과 또는 음악 지식이 없는 위에다 조선 안에서 음악다운 음악을 자주 들어보지 못한 까닭인가 합니다.

그리고 또 한 가지 이런 일이 있습니다. 일본 동경 여 성악가 한 분이 규슈(九州)에 가서 연주하고 그곳 모 박사의 초청을 받아 박사 집에 가서 성연(盛宴)[84]을 받은 후 모든 사람의 강청(强請)[85]에 못 이겨 독창을 일본말로 했는데 그 곡조의 내용이 연애시였습니다. 나중에 여 성악가가 돌아갈 때 박사가 전송하러 나와서 하는 말이 "다시는 규슈의 땅을 못 딛으리라." 하였다 합니다. 음악은 자연미 뿐만이나 또는 수신(修身) 교과서 같은 훈계만 노래하는 것인 줄만 알고 인생 생활에 기조(基調)가 '사랑' 인 이상 그 생활에서 스며 나오는 음악이 당연히 사랑을 노래할 것인 줄 모르는 완고 박사가 조금만 더 음악에 대한 이해를 가졌단 들, 그다지 큰 실례를 아니 했을 것입니다. 조금 낫다는 사람도 이러한데, 조선에서야 어떠하겠습니까.

좀 더 음악을 알아야 하고 좀 더 많이 음악을 들어야겠습니

84) 성연(盛宴): 성대한 연회
85) 강청(强請): 강한 요청

다. 그 중에도 가정생활과 자녀 교육의 직접 책임을 가지신 부녀는 더구나 음악에 대한 지식을 넓혀 가져야겠습니다. 자주 듣고(음악다운 음악을) 힘써 배우며 이것이 우리의 힘쓸 일일까 합니다. 이 일을 위해 저 역시 넉넉지 못한 시기이나마 성심성의를 다하여 조선 부녀계에 음악 지식을 넓히기에 주력하려 하오며 지어(至於)[86] 개인 교수까지라도 틈만 있으면 성의껏 도와드릴까 합니다. 새살림을 지으실 새 시대의 조선 부인들이시여, 속히 이 연구에 뜻을 두게 되시기를 바라고 있습니다.

86) 지어(至於): 더욱 심하다 못하여 나중에는

동요(童謠) 가을 밤: 잔물(방정환)

1절

착한 아가 잠자는 베개 머리에
어머님이 혼자앉아 꿰매는 바지
꿰매어도 꿰매어도 밤은 안 깊어

2절

기러기 떼 날아간 뒤 잠든 하늘에
둥근 달님 혼자 떠서 젖은 얼굴로
비추어도 비추어도 밤은 안 깊어

3절

지나가던 소낙비가 잠든 하늘에
집을 잃은 부엉이가 혼자 앉아서
부엉부엉 울으니까 밤이 깊었네

씩씩한 중에도 고운 심정을 가진 미국 여학생: CW생 (방정환)87)

미국에서는 지극히 빈번하거나 하급 사람이 아니고 중류쯤 되는 집 색시면 중학교를 졸업한 후에 하이스쿨(high school)88)에 다니고 그곳을 졸업하고 나서 대학에 들어가는 것이 보통입니다.

하이스쿨은 조선으로 치면 여자고등학교쯤 되는데 대학에 들어가기 전에 벌써 어학은 충분히 배웁니다. 자기 나랏말 외에 불란서(佛蘭西)89)말, 독일 말씀은 의례 모두 배워둡니다.

그리고 그들은 다 각각 자기가정과 또는 자기성질에 즐겨 하는 대로 음악이라든가 무용이라든가 미술이라든가를 열심히 공부하고 있습니다.

그리고 나서 대학에 들어가서 이과나 문과나 어느 전문학교를 전공하게 되는 고로 대학을 졸업할 때는 대개 23-24세쯤 되게 됩니다. 이 23-24세에 졸업을 하고서 결혼준비를 하는 고로 결혼은 아무리 해도 조선 여자들보다는 만혼에 기울어지게 되는 것입니다.

---

87) 방정환은 필명으로 소파(小波), CW생, 몽견초(夢見草), 잔물, 잔물결, 물망초, 몽중인, 삼산인, 북극성, 쌍S, 목성, 은파리, CWP, 길동무, 운정(雲庭), 파영(波影), 깔깔박사, SP생 등을 사용했다. 일본의 검열을 피하고 지면을 채우기 위함이었다고 한다.

88) 원 표기: 하이스쿨-

89) 불란서(佛蘭西): 프랑스

<수신(修身) 교수와 실제 훈련>

몇 군데 안 되는 극소수의 학교를 빼어 놓고는 어느 학교든지 수신과(修身科)의 교수는 없습니다. 몇 군데 소수의 학교에 있다고 해도 그것을 결코 책이나 읽거나 그냥 드리 밀어 넣는 주입식 교수가 아니고 선생과 생도 사이에 자유롭고 취미 있는 문답을 하여 그 담화하는 중에 생도가 스스로 자발적으로 도덕 관념을 얻게 되도록 하고 있습니다. 가령 '자선'이라는 문제를 이야기하려면 먼저 선생이

"자선이라고 하는 것은 물론 좋은 일인 고로 극력(極力)[90] 하지 아니하면 안 될 일이지만 가끔가다 어떤 경우에는 해서 안 될 일이 있다고 생각하는데 어떻게 생각합니까?"

하고 이렇게 생도에게 묻습니다. 그러면 생도 편에서는 생각해가지고

"그것은 거짓 착함, 위선이 되는 때나 또는 허영심으로 하는 것은 안 될 일이라고 생각합니다." 하고 이렇게 대답합니다. 조선에서 하듯 선생이 책만 읽히거나 그렇지 않으면 자선이라는 것은 어떠어떠한 것인데 어떻게 하면 못쓰는 법이니라-하고 내리밀어 가르치는 것과는 팔팔 결[91] 다르지 않습니까? 그네는 가정에서나 학교에서나 공공이라거나 자선이라는 것들을 입이나 책으로 가르치지 아니하고 모두 실지에 당하여 사물에 직접 접촉하여 자꾸 실행해가면서 연습하게 합니다.

한 가지 예를 들면 집안에서 어머니가 저금을 장려하되 딸의 돈을 일일이 명목을 따로 지어서 모으게 합니다. 즉 이것은 이

---

90) 극력(極力): 있는 힘을 아끼지 않고 다함. 또는 그 힘.
91) 팔팔결: 다른 정도가 엄청남. 엄청나게 다른 모양.

담에 빈한(貧寒)한[92] 동무를 위하여 쓸 돈, 이것은 이웃에 병인을 위하여 쓸 돈 하고 각각 상자를 따로따로 정해 놓고 따로따로 모아서 웬만큼 모이면 여학생 자신이 제 손으로 내서 자기가 빈한한 동무나 이웃집 병인에게 줍니다. 어렸을 때부터도 이렇게 해서 저금의 필요와 자선의 가치와 흥미를 알게 되도록 합니다.

<3-4인씩의 학비 구조>

그네들은 여학교에 다닐 때부터 벌써 한 사람이나 두 사람 또는 한 3-4인 씩이나 빈한한 학우를 구조하느라고 자기의 학비를 절약해 쓰고 그 돈으로 동무의 학비를 대어주는 사람이 많고 또는 한 학급 한 반 생도들이 돈을 모아서 그 학급중의 빈한한 학우 몇 사람의 학비를 대어주는 일도 많습니다. 내가 한번 이런 일을 본 일이 있습니다. 중국 여자 유학생들이 중국 본국에 내란 싸움이 심하게 일어나서 우편이 막힌 곳이 많은 고로 본국에서 학비가 오지 않아서 곤란히 지낸다는 말을 듣고 미국 여학생들이 자기네 저금을 모두 모아서 중국 여자 유학생에게 줄 터인데 조금 부족 되는 금액을 채우려고 자기네끼리 간이찻집을 내이고 그 수입을 전부 중국 여자에게 보내주는 것을 보고 탄복하였는지 모릅니다.

이러한 학생들의 계획에는 교원들과 학교에서도 모두 찬성하여 극력(極力) 편리를 보아주는 것도 훌륭한 일이라고 생각했습니다. 조선 여학생들이 만일 이번 평양(平壤)[93]의 수해구제

92) 빈한(貧寒)하다: 살림이 가난하여 집안이 쓸쓸하다.
93) 평양(平壤): 도시 이름

를 위하여 이런 일을 한다면 머리 늙은 노선생들은 쌍 지팡이를 짚고 반대할 것이거니……. 이런 생각을 하면 한심합니다.

<방학 중에는 공녀(工女) 대신>

이 외에도 또 도덕상 하동(鍜鍊)[94]으로 여자 대학생들은 하기 방학을 이용하여 퍽 뜻있는 일을 합니다. 그것은 일 년 열두 달 조금도 쉬지 못하고 괴로운 노력을 하고 있는 공장의 공녀(工女)들과 유아원의 보모(유아 보아주는 사람)들에게 동정하여 그들을 잠깐이라도 휴식하게하기 위하여 학생들이 공장에 가서 공녀를 놀리고 공녀 대신 월급 안 받고 일을 보아줍니다. 그래서 불쌍한 공녀들이 그 달을 편안히 휴식하고도 그 달 월급을 받아가지게 해줍니다.

이렇게 좋은 일이라 공장 주인도 크게 찬성하고 허락해주는 고로 공녀들은 기껍게 자유롭게 휴식할 수 있게 되고 유아원의 보모들도 월급(생활비)은 잘 받고 한동안 잘 휴식할 뿐 아니라 그동안 다른 세 지식을 얻어가지고 돌아와서 유아들을 위하여 더 좋은 일을 해줄 수 있게 됩니다.

이 일은 여학생들이 공녀이나 보모의 가련한 처지에 동정하여 일종의 자선행위인 것은 물론이지만 일편으로는 여학생 자신에게도 하기 방학을 의미 있게 보내는 이익과 학교를 떠나서 실사회에 나가서 실제적 지식과 경험을 얻는 큰 이익이 있는 것입니다.

하여간 미국에서는 여학생간의 이 아름다운 일과 또 그 마음

---

94) 하동(鍜鍊): 사전에 없는 말로 문맥상 하동(夏冬)을 음차로 쓴 것으로 보임.(역자)

을 잘 받아주는 주위 사람들의 아름다운 정신과 넓고 큰 심량(心量)[95]은 참으로 부러운 일이라 생각합니다.

이 외에 미국 여학생의 사교 공부의 결혼생활의 이야기를 할 필요가 있습니다만 종이가 부족하니 그 것은 이다음에 또 써보기로 하겠습니다.

◆ 여학생 간에 대 평판 ◆

여학교 기숙사 교실 운동장 구석구석에서 속살거리는 여학생 간의 평판! 그것은 개벽사에서 발행하는 「어린이」 잡지의 소문이외다. 호(號) 마다 호 마다 곱고 깨끗하고 재미있는 동화와 어여쁘고 듣기 좋은 동요 곡보(曲譜)와 불쌍하디 불쌍한 애화(哀話)와 재미있는 수수께끼까지 가득가득 실려 있어서 장장이 여학생의 마음을 이끄는 까닭입니다.

더구나 이번 9월 15일에 발행된 특별위대호(特別位大號)는 보기도 어여쁘게 짜여진 어여쁜 책이라 남녀학생 간의 평판이 더욱 굉장합니다. 406페이지 아름다운 책에 정가는 단 10전이니 속는 셈치고 이번 한 권만 사보십시오. 첫 장부터 끝 장까지 책장을 덮지 못하시고 재미있어 하실 것입니다.

「어린이」 제8호 기념 특별호 책 가격 전(錢) 식(式)

95) 심량(心量): 마음의 크기

요 때의 조선여자: 소춘(小春, 김기전)

<개선이냐 개악이냐>

반드시 조선사람 간만의 습속(習俗)[96]은 아니겠지 어쩌했든 우리들의 교제법에서는 통성명이란 절차를 밟지 않고는 날마다 얼굴을 대하는 한(限)이라도 눈이 말똥말똥하게 쳐다는 볼지언정 인사도 말도 하지 않는 법이다. 그런데 이 법이 부녀계(婦女界)에 있어는 실행되지 아니하였다. 처음 대하는 부녀들 사이에 설지라도 아주 순탄스럽게 말하고 웃던 것이 우리 조선 부녀계의 옛적부터의 교제법이었다. 그런데 어찌되자는 셈인가 근래에 들어와 행신(行身)하는[97] 신진 여자들 사이에서는 분명하게도 통성절차를 행하고서야 할 말을 한다. 마치 남녀들 간에서 하는 그 법과 꼭 같이한다. 그 태도는 마치 이제야말로 우리 부녀들의 교제도 그 정당한 방식을 찾아 나아가노라 하는 듯싶다. 개선이냐 개악이냐 이따위 의절(儀節)[98]은 배우지 않아도 좋지 않을까? 그러한 구구한 인사절차를 밟을 것 없이 자연스럽게 서로 말하고 웃는 종래의 교제 그것이 한층 여성의 따스하고 평화한 기분을 표현함이 되지 않을까?

---

96) 습속(習俗): 습관이 된 풍속
97) 행신(行身)하다: 세상을 살아가는 데 가져야 할 몸가짐이나 행동을 취하다.
98) 의절(儀節): 예절(禮節)

<대기(大忌)[99] 또 대기>

통성명 말이 나왔으니 말인데 혹 근래의 신진 남녀 간 통성(通姓)을 할 때에 만일 남자의 편으로부터 그 상대편인 여자에게 향해서 그 성명, 연세, 주소 같은 것을 다시 물으면 그는 십중팔구로 불쾌한 빛을 보인다. 물론 어찌 생각하면 그럴 듯도 싶은 일이다. 그러나 이러한 것이 모두 반지버리[100]의 행태이다. 사람은 좌거나 우거나 그 입장을 분명, 투철히 하지 않으면 안 된다. 신여자는 다소의 곤란 희생까지를 각오하고 신여자답게 엄립(嚴立)[101]하지 않으면 안 된다. 이렇게 하는 것이 도리어 모든 문제를 안는 해결하는 편법(便法)이 되는 것임을 다시 생각하지 않으면 안 된다.

<여자가 되는 외에 사람이 되지는 못할까>

여자는 물론 여자 노릇을 아니할 수도 없을 것이다. 그러나 여자 역시 사람이란 명칭에 포괄되는 이상 사람으로서의 행할 다른 무엇이 없지는 못할 것이다. 반드시 일체(一體)로 그렇다는 것은 아니나 오늘날까지의 우리 사회에선 신진 여자 그들 중에는 철두철미하게 여자적 행태로써 종시(終始)코자 하는 그 것이 있어 서로를 여기더라. 모든 것이 변화되려하고 또 변화되어야 할 오늘날에 있어 그와 같이 재래(在來)[102]의 여자적 행태로써 자기의 동정(動靜)[103]을 규구(規矩)[104]함과 가름은

---

99) 대기(大忌): 크게 꺼림. 매우 싫어함.
100) 반지버리: 이도저도 아니고 어중간하게
101) 엄립(嚴立): 엄립과조(嚴立科條). 썩 엄하게 규정(規定)을 세움.
102) 재래(在來): 예전부터 있어 전하여 내려옴.
103) 동정(動靜): 물질의 운동과 정지. 사람이 일상적으로 하는 일체의

실로 칭찬할 현상이 못된다. 물론 주위 사람들이 그러하길 요구하니까 어찌할 수가 있느냐고 하리라. 그러나 그와 같이 주위의 사정에 아첨하는 것이 신여자라 하면 신여자라 하는 신(新)의 의미는 어디서 찾을 것인가. 신여자라 함은 곧 여자로서의 신인이라는 말인 줄 안다. 그러면 신인다운 어떠한 모함이나 독특한 것이 있어야 할 것이 아닐까. 우리가 이와 같이 여자로 사는 이외에 사람으로 살아야 한다 함은 여자로서의 특이한 여러 가지 점을 무시하라 함이 아니다. 비록 똑같은 여성의 특이를 옹호하는 그 한(限)이라도 그 동기며 그 방식은 재래의 여자식의 그것과 스스로 판이함이 있어야 되겠다는 말에 불과한 것이다.

<신여자를 비웃는 신여자>

신여자로 신여자를 비웃는다 하면 누구나 곧이 듣지 않으리라. 그러나 요새의 조선 여자계에 있어서 진실로 신여자를 비웃는 사람은 완고(頑固)[105] 남자도 아니요, 부인도 아니요, 오직 신여자 그 사람들이다. 여기에 한 개의 철저한 여성이 있어 자기의 믿는 주의(主義)나 사상을 향하여 눈 꽉 감고 돌진한다 하면 그 곁에 있는 보통의 신여자들은 픽픽 웃어만 준다. 그러한 여자와는 같은 동무간일지라도 교제하기까지 싫어한다. 만일 그러한 여성과 자주 교제하면 무슨 체면이나 더렵혀질 듯이 기피한다. 이때 조선의 신여자라는 그 양반들 중에 그렇게 재

행위. 일이나 현상이 벌어지고 있는 낌새.

104) 규구(規矩): 규구준승(規矩準繩). 일상생활(日常生活)에서 지켜야 할 법도(法度).

105) 완고(頑固): 융통성이 없이 올곧고 고집이 세다.

래의 도덕을 의식을 가정을 무시하기까지 자기의 믿는 새 논리와 새 제도를 향해서 돌진하는 엄정한 의미에서의 새 여자가 없기도 하려니와 만일 있다 할지라도 그는 먼저 자기 신여자들 측으로부터 쫓아내지고 말 것이다. 이렇게들 정신없이 지내서는 정말 안 된다. 자기가 신여자로 나설 처지가 못 되거든 다른 동무 중에서라도 그런 사람을 내어놓도록 하지 않으면 안 된다. 이러니저러니 하여도 사람은 자기가 나선다는 것보다도 주위에서 내세워주어야 하는 것이다. 신여자들이여 행여나 소수의 신여자를 비웃지 말라.

그립던 고향 생활

누구에게든지 고향은 그리운 곳입니다. 그러나 나이 어린 처녀의 몸으로 객지에 외로이 있는 사람에게는 몇 갑절이나 더 그리운 곳입니다. 공부도 끝나고 방학도 되고 시원하고 가벼운 몸으로 오래 그립던 고향의 품에 안기는 기쁨과 재미야 그 무얼로 비교하겠습니까. 사람의 일생에 처녀 시대처럼 행복된 때도 없을 것이요, 그 중에도 방학 중 짧은 동안의 고향생활처럼 재미있는 것도 없을 것이라. 이제 우리는 이 즐거운 살림에서 일찍이 돌아오신 몇 분에게 고향 생활에 느끼신 것을 써 주십사 하여 이에 몇 편을 소개합니다.

○ 시골 교단(教壇)에서 서울집에
: 영일군포항공립보통학교 김명자

8월 23일은 앞으로 1주일밖에는 안 남았다. 그날은 내가 다시 서울을 떠나기로 작정한 날이다. 당초 포항에 도착해서 한 3-4일 동안은 주위에 엄벙덤벙하는 눈에 설고 귀에 새로운 것들이 많이 있는 까닭에 골치 맞은 것 같이 멍-하게 지내다가 그 뒤로부터는 차차 객고(客苦)[106]를 깨닫게 되었다. 첫째는 수토불복 둘째는 언어불통(사투리로) 이것이 객고를 깨닫게 한 것이었다. 그래서 한두 달 동안은 고향을 사모하는 마음이 북받쳐서 당장에라도 모든 사정을 꺾어 누르고 서울로 뛰어올라오고 싶었으나 그래도 앞뒤 사정에 걸려서 그날그날 지내오는 동안에 내가 담임한 1학년 생도 50여 명들과라든지 같은 직원

106) 객고(客苦): 객지에서 고생을 겪음. 또는 그 고생.

들과의 친분이 점점 깊어지게 됨에 차차로 객고가 엷어지게 되었다. 그러나 하기 방학 때가 가까워오니까 또다시 고향 그리운 생각이 머리를 들게 되었다. 그 까닭에 방학식은 채 마치지도 않아서 성적(成績) 발표만 겨우 해놓고 부랴사랴[107] 상경한 것이다. 그런데 그 당시 같아서는 서울 오면 무슨 큰 수나 생길 듯이 하더니 딱 올라와서 보니까 역시 별로 신통할 것이 없었다. 그것도 한 4-5일 동안은 기쁘게 지냈으나 그 뒤로는 오히려 천진난만(天眞爛漫)한 어린아이들과 지내는 것이 훨씬 나을 것이 생각(生覺)되었다. 이것을 보면 나는 남들보다도 변화 많은 생활을 해야만 될 것 같다. 그러나 서울을 떠날 날이 앞으로 일주밖에 안 남았다는 것을 생각하면 또다시 섭섭한 마음이 일어난다. 이것으로 보면 암만해도 고향 살림이 정 깊은 줄 깨닫겠다.

1개월 동안 서울 살림에 나는 별로 한 것이 없었다. 다만 실력을 기르기 위해 묵은 책과 몇 가지 참고서(參考書)를 뒤적거리었으며 생도들의 선물거리로 창가(唱歌), 유희(游戲), 강습(講習)을 했을 따름이었다.

○ 시집가라는 통에
: 경성이화여자고등보통학교 나순금

내가 몹시 동경하는 '고향'! 여기는 내가 어릴 때부터 여태껏 자라난 잊지 못할 곳이외다. 그렇게 몹시 동경하던 '고향'이었지만 나는 얼마 전부터 불행히 병마의 침해를 받아온 터이라 자체부터 불안한 중이라 고향에 디딘 날부터 얼마간 병

107) 부랴사랴: 매우 부산하고 급하게 서두르는 모양.

원생활을 하게 되었으니까 고향의 낙(樂)이란 별로 없었습니다. 더구나 고향에 들자마자 꿈에도 생각지 못한 한줄기 불이 가슴에서 붙기 시작하니 이는 곧 천진한 처녀로부터 엉큼한 사나이[108]와 결혼생활을 하라는 엄정한 명령이외다.

아- 이 무섭고 괴롭기 끝없는 아주 내가 원하지도 않고 생각지도 않은 생활을 하라는 명령 하(下)에는 그만 하늘에서 벼락불이나 내리는 듯 한참은 의식까지 흐리멍덩하였습니다. 그러나 나는 내 자신을 위하여 산다는 것을 생각할 때에 오-남에게 개성을 유린(蹂躪)당한다는 것은 곧 이 개체의 생을 빼앗긴다는 것이 아니냐고 생각하고 이렇게 부르짖었습니다.

"아- 모든 여성아. 무서운 자살의 동굴로 들어가지 말지어다. 그리하여 너희의 생을 힘껏 발휘시켜라. 그래서 저- 엉큼한 이빨을 벌린 남성과 싸우자. 그래야 우리도 사느니라. 아- 여성아? 너희는 아버지에게나 어머니에게나 남자에게나 자유를 빼앗기지 않도록 싸우라."

나는 이렇게 부르짖습니다. 본래 병마의 침해를 받던 몸이 의외의 이러한 무서운 엄명까지 당하게 되니 그립던 고향, 반가운 고향 그곳이 도리어 귀하지 않았습니다. 곧 떠나고 싶었습니다. '시집' 가라는 소리는 날마다 그칠 때가 없습니다. 남편 될 사람이 당자(當者)이니 얌전하니 별의별 소리를 다 합니다. 그러나 나는 여성의 자유, 나- 개체의 자유를 위하여 '사랑(愛)'이 없는, '이해'가 없는 즉, 나- 스스로의 공평한 판결이 없는 그곳에는 절대로 반항한다고 결심하고 곧 고향을 떠났습니다.

---

108) 원 표기: 산아희

○ 보려던 책은 한 권도 못보고
: 경성진명여자고등보통학교 김가매(金嘉梅)

나는 손아래 동생이 없는 것을 늘 원통하게 여깁니다. 손 위로는 오라버님도 계시고 언니도 두 분이나 계십니다마는 내 손 아래로는 조카들이 있을 뿐이올시다. 오라버님이라든지 언니께는 남의 모에 빠지지 않을 만치 사랑을 받습니다. 그러나 손 아래로 어린 동생들이 있어서 내가 사랑을 좀 해주었으면… 하는 생각이 있습니다마는 나는 그것이 없습니다. 그래서 고향에 돌아가도 나는 그것을 늘 적적하게 여깁니다. 금년(今年)에는 7월 20일에 떠나려고 했던 것이 남선(南鮮)[109] 수해에 기차 불통으로 인해서 21일에 떠났습니다. 집에서 오래간만에 즐겁게 지내기는 단지[110] 나흘밖에 못했습니다. 집에 간지 나흘 만에 동래(東萊)[111]에 있는 외가에 가서 있다가 8월 11일에 테니스[112] 연습 까닭에 상경해가지고 인천 동무 김업순(金業順)의 집에 가 있으면서 테니스 연습을 했습니다. 금년 여름은 그저 이렇게 지냈습니다. 외가에 있는 동안은 매우 재미[113]있었습니다. 그리고 그동안에 한 것은 아무것도 없습니다. 다만 일기만 매일 기록했을 뿐입니다. 서울서 떠날 때는 학교서 공부하는 책을 모조리 가지고 내려갔습니다만 내려가 보니까 생각대로는 되지 않았습니다. 작년에도 그런 전례가 있었기 때문에 금년에

109) 남조선(南朝鮮)
110) 원 표기: 단지(單只)
111) 동래(東萊): 부산광역시의 옛 명칭
112) 원 표기: 정구(庭球)
113) 원 표기: 자미(滋味)

는 될 수 있는 대로 책을 조금 가지고 내려가려고 했었습니다마는 짐을 묶게 되니까 "이것도 좀 저것도 좀." 하다가 이내 책을 모두 가지고 갔었습니다마는 금년에도 역시 한 가지도 복습은 못해가지고 왔습니다. 금년 여름의 즐거움은 온천에 잠깐 갔던 것뿐이올시다.

○ 바늘에 손을 찔리고
: 경성정신여학교 익명

방학 동안의 고향 생활 중에 제일 재미스러웠던 일을 써 보내라 하셨지만 이담에는 생각이 날는지 모르지만 지금은 별로 쓸 것이 없습니다. 억지로라도 쓰라시면 처음에 가지고 내려왔을 때는 퍽 자유롭게 재미있게 놀았습니다마는 한 공일114) 쯤 지나자 점점 심심스럽고 갑갑해져서 생전 아니해보던 바느질을 해보기 시작했습니다. 이제는 내가 입을 옷쯤은 내 손으로 지어 입을 것 같습니다. 그 대신 손가락을 세 번이나 바늘에 찔렸어요. 어쨌든지 이번 방학에 얻은 귀여운 공부라고 생각합니다.

이뿐입니다. 용서해주십시오. 그렇지만 이름은 내지 말아주시기 바랍니다.

○ 처음 가본 시골집
: 경성숙명고등보통학교 정인화(鄭仁嬅)

우리 집에서는 작년 겨울에 처음 낙향하신고로 나는 혼자 서울 일가 댁에 떨어져 있다가 이번 방학에야 모르는 길을 처음

---

114) 공일(空日): 일을 하지 않고 쉬는 날

찾아갔었습니다. 기차로 천안(天安)까지 거기서 바꿔 타고 예산(禮山)까지 가서 거기서 내려서 자동차로 또 50 리나 들어가서 홍성(洪城)읍에 내리기까지는 처음 첫 길에 퍽 먼 길이었습니다. 시골집에 닿아보니까 생각하던 이보다는 집도 좋고 깨끗하고 마당도 넓고 퍽 훌륭했습니다. 제일 좋기는 시원하고 물것[115] 없는 것이고 재미있기는 참외 따먹기, 서울서 내려오는 신문 읽기, 바느질배우기, 어린 동생 창가 가르치기 였습니다마는 그보다도 더 재미있기는 처음 가는 시골길에 차를 바꿔 탈 때마다 허둥허둥 하면서 처음 가보는 집을 찾아갈 때까지가 제일이었습니다.

115) 물것: 사람이나 동물의 살을 잘 물어 피를 빨아 먹는 모기, 빈대, 벼룩, 이 따위의 벌레를 통틀어 이르는 말.

나의 회상: 임성숙(林娍淑)

그 어느 서리 오고 바람 산산하던 가을 아침이었다. 내 이모는 무슨 생각을 그렇게 고혹(苦惑)[116]히 하시는지 전날 밤 잠도 잘 못 주무신 모양인데 두 눈썹 사이에는 어떤 근심이 있는 듯도 하고 어떤 희망이 있는 듯도 하다. 홀연 나의 앞으로 가까이 오셔서 귀에 대고 속말 몇 마디를 하여준다. 나는 무슨 의미인줄도 모르고 다만 청종(聽從)[117]할 뿐이었다. 그는 지금부터 11년 전, 즉 내가 9살 때였다. 외조부와 어머니도 모르게 이모의 말씀만 쫓아 따뜻한 가정을 떠나겠다는 것은 얼른 생각하면 이상하지만 그는 일리가 있다는 어린 마음이라 어디 구경간다면 좋아라고 또 어머니와 외조부가 알면 못 가게 한다는 바람에 그저 비밀을 지켰다. 그리고 슬그머니 이모를 따라 문밖을 나섰다. 그때 생각을 하면 어리석은 것도 같고 애처로운 듯도 하다. 그러나 내 인세(人世)에 처음으로 나는 20년 전과 학로(學路)에 처음으로 입각(立脚)하던 11세 전 그날이 진실로 나에게 인연 깊은 날이었다. 그 길에 송화(松禾)[118], 구기(舊基)[119]를 떠나 여기저기 드니 재령(載寧)[120]읍에 도착하여 잠깐 자리를 잡았다. 그러나 불행히 어디 입학할만한 처소도 얻지 못하고 객리(客裡)[121] 곤고(困苦)[122]만 맛 볼 따름이었다.

---

116) 고혹(苦惑): 쓸 고(苦), 미혹할 혹(惑)
117) 청종(聽從): 이르는 대로 잘 듣고 좇음.
118) 송화(松禾): 황해도에 위치한 송화군
119) 구기(舊基): 황해남도에 위치한 지역 이름
120) 재령(載寧): 황해도 재령군
121) 객리(客裡): 객지에 있는 동안
122) 곤고(困苦): (처지(處地)나 형편(形便) 따위가)고생스럽고 딱함. 곤

그래서 이모한테 백수문(白首文)[123]과 계몽편(啟蒙篇)[124]을 배우면서 다른 기회를 기다렸을 뿐이다. 때로는 마장(魔障)[125]은 사람의 앞길을 희작(戲作)[126]하여 하루는 돌연히 외조부의 병보(病報)가 왔다. 그래서 이모는 할 수 없이 나를 데리고 집으로 돌아오지 않지 못하게 되었다. 그는 나의 가외(家外)에는 외숙(外叔)도 없고 다만 내 어머니가 노친(老親)을 공양하고 계실 뿐이며 다른 아무도 환란을 같이할 사람이 없는 연고(緣故)이다. 외조부의 병환은 소소(蘇甦)[127]될 날이 없어 마침내 4년 후, 즉 나이 13살 되던 해에 영원의 길을 떠나셨다. 그동안 백척간두(百尺竿頭)[128]의 우리 살림(어머니는 일찍이 시가(媤家)의 불평에 인하여 본가에 와서 노친을 모시고 독립생활을 할 시기임)은 더욱 궁도(窮途)[129]에 달하였다. 다시 아무 여력도 나의 교육에 맞출 수 없었다. 그러나 교육의 절대 필요를 선각(先覺)한 나의 이모는 전패(顚沛)[130] 도지(倒地)[131]를 하면서라도 최후의 목적을 달하겠다는 결심을 정하고 다음 해 봄에 해

란(困難)하고 고통(苦痛)스러움.

123) 백수문(白首文): 천자문

124) 계몽편(啟蒙篇): 조선 시대, 초학(初學) 아동 교육용 교과서

125) 마장(魔障): 귀신의 장난이라는 뜻으로, 일의 진행에 나타나는 뜻밖의 방해나 헤살을 이르는 말.

126) 희작(戲作): 글 따위를 실없이 장난삼아 지음. 또는 그 글.

127) 소소(蘇甦): 소생하다는 의미로 해석됨.(역자) (근거: 한국사데이터베이스 조선왕조실록 영조실록 107권, 영조 42년 7월 24일 壬辰 1번째 기사)

128) 백척간두(百尺竿頭): 백 자나 되는 높은 장대 위에 올라섰다는 뜻으로, 몹시 어렵고 위태로운 지경을 이르는 말.

129) 궁도(窮途): 곤궁(困窮)하게 된 처지(處地)

130) 전패(顚沛): 엎어지고 자빠짐

131) 도지(倒地): 넘어질 도(倒), 땅 지(地)

주공립보통학교에 데리고 와서 입학식에 넣어준다. 그는 즉 나이 14살 적 일이니 참으로 나의 제2차 집 떠난 때이다. 그러고 보니 그때야말로 6-7년 전 우리 사회(社會)에 더하여[132] 하향(下鄕)[133] 인사(人士)[134]의 사조(思潮)야 기가 막히고 가슴이 답답하여 말할 수도 없다. 우선 진가(眞家)의 질책, 타인의 조소(嘲笑), 경제의 압박 모두가 나에 대한 무상(無上)[135]의 강적이다. 나의 빈약한 몸으로 이 주위를 뚫고 나가려 할 때 얼마나한 전율(戰慄)[136]과 비분(悲憤)[137]을 겪었을까! 아- 참 지긋지긋하고 머리가 아프다. 그 어느 적인가 이러한 일도 당하였다. 엄동설한(嚴冬雪寒)[138] 옴짝할 수 없는 섣달 차디찬 해 여느[139] 셋방(貰房)[140] 한 편 구석에서 기한(飢寒)[141]에 분투하던 나의 늙은 이모는 몸살 비슷하게 신음하기 시작했다. 잠기고 잠겼던 병세가 일주에 폭발됨에 1일, 2일에 거침없이 극도에 달하였다. 부엌에 섶[142]이 없고 독에 쌀이 다하였다. 시탕(侍湯)[143]도 먹어야 하고 굶고는 앓을 수도 없다. 이에 간신(艱

132) 원 표기: 이라 가지(加之)
133) 하향(下鄕): 고향으로 내려감. 시골로 내려감.
134) 인사(人士): (예스러운 표현으로) '사람'을 낮잡아 이르는 말
135) 무상(無上): 그 위에 더할 수 없음
136) 전율(戰慄): 몹시 두렵거나 큰 감동(感動)을 느끼거나 하여 몸이 벌벌 떨리는 것.
137) 비분(悲憤): 슬프고 분함
138) 엄동설한(嚴冬雪寒): 눈 내리는 깊은 겨울의 심한 추위
139) 원 표기: 여진
140) 셋방(貰房): 세(貰)를 내고 빌어 쓰는 방(房). 사글셋방(--貰房)과 전세방(傳貰房)의 두 가지가 있음.
141) 기한(飢寒): 배고픔과 추위
142) 섶: 땔감
143) 시탕(侍湯): 부모(父母)의 병환(病患)에 약 시중하는 일

辛)[144]히 나오는 소리로 이모의 얼굴에 마주대고 나무아미타불을 몇 마디 불렀을 뿐이다. 아-이런 때에 만일 활성(活星)[145]의 내구(來救)[146]함이 없었던들 우리의 운명은 과연 어떠하였을까? 그리하노라니 유지(有志)[147]의 후원도 많이 입었으며 자선가의 동정도 많이 받았다. 이때에도 교도성(校洞宋) 선생의 활수단(活水段)[148]이 아니었다면 영원의 비애로 갔을지도 모른다.

그리하여 보통학교 시대에 있을 때에 공부를 좀 부지런히 하여 한 학년을 건너 올려줌으로 4년제를 2년에 졸업하게 되었다. 그는 적어도 나이 15-16세 적이므로 얼마 마한 자각은 차차 생길 때이다. 그러므로 학교의 훈계나 가정의 교도(敎導)[149]를 한 번도 어겨본 법은 없었다. 그는 도리어 지금보다 얼마나 나은 미점(美点)[150]이다. 그러나 졸업기가 당도함에 상급 학교 입학 소망은 날로 깊어 가는데 가정형편은 날로 쇠퇴하여간다. 암만 부형(父兄)[151]에게 떼를 쓰고자 한들 반연한 견지에서 어떻게 초탈(超脫)[152]을 할 수 없었다. 그래서 학교 선생에게 대강의 사한 사정을 설명했더니 선생들은 다른 말하는 것 없이

---

144) 간신(艱辛): 힘들고 고생(苦生)스러움.
145) 활성(活星): 살 활(活), 별 성(星). 살아있는 별.
146) 내구(來救): 올 래(來), 도울 구(救). 도움이 오다.
147) 유지자(有志者): 마을이나 지역에서 명망 있고 영향력을 가진 사람. 어떤 일에 뜻이 있거나 관심이 있는 사람.
148) 활수단(活水段): 무엇이든지 아끼지 않고 시원스럽게 잘 쓰는 씀씀이. 또는 그런 사람.
149) 교도(敎導): 가르쳐서 이끎.
150) 미점(美点): [일본어] (美点, びてん), 장점
151) 부형(父兄): 부모 형제
152) 초탈(超脫): 성품(性品)이 고상(高尙)하여 세상일(世上-)에 관여(關與)하지 아니함.

그저 단순하게 "유지(有志)면 사경성(事竟成)이라."[153]는 한 구절로 대답하여줄 뿐이다. 이에 우리는 모친형제와 나까지 본래의 뜻을 관철(貫徹)키 위해 노력하기로 서원(誓願)[154]하고 경성 유학을 예비(預備)하기에 분망(奔忙)[155]하였다. 그러나 분망은 분망대로 초사(焦思)[156]는 초사대로 실컷 하고나니 무슨 소득이 있을 리 만무라, 겨우 노자(路子)[157]라고 30원 미만의 돈을 가지고 이모와 나는 해주만(海州灣)인 용당포(龍堂浦)로 출발하였다. 만항창파(萬項蒼波)[158]의 조탕(造蕩)[159]한 물결은 정이 전진의 의지를 도와주며 기적(汽笛)[160]일성(一聲)의 웅장한 소리는 정이 인생의 절규를 부르짖겠다. 그리하여 경성역 하차하기 전까지 무한한 감상에 싸였던 몸이 돌연히 광풍(狂風)[161] 서도(恕濤)[162]를 만나기 시작하였다. 그는 의례히 앞 예산(預算)[163]없는 사람의 당할 일로 자신하였지마는 실제에 들어서는 아니 놀랄 수 없었다.

그러나 절처봉생(絶處逢生)[164]은 사람의 일생에 그다지 없는

---

153) 유지자 사경성(有志者, 事竟成) = 유지경성(有志竟成): 뜻이 있어 마침내 이루다. (후한서 경엄전)
154) 서원(誓願): 신불(神佛)이나 자기 마음속에 맹세하여 소원을 세움. 또는 그 소원.
155) 분망(奔忙): 매우 바쁨
156) 초사(焦思): 애를 태우며 생각함. 또는 그런 생각.
157) 노자(路子) = 노자(路資). 먼 길을 떠나 오가는 데 드는 비용.
158) 만항창파(萬項蒼波): 클 만(萬), 클 항(項), 창파(蒼波): 푸른 물결
159) 조탕(造蕩): 지을 조(造), 쓸어버릴 탕(蕩)
160) 기적(汽笛): 기차나 배 따위에서 증기를 내뿜는 힘으로 경적 소리를 내는 장치. 또는 그 소리.
161) 광풍(狂風): 미친 듯이 사납게 휘몰아치는 거센 바람
162) 서도(恕濤): 어질 서(恕), 큰 물결 도(濤)
163) 예산(預算): [중국어] 예산을 정하다
164) 절처봉생(絶處逢生): 극도(極度)로 궁박(窮迫)한 끝에 살길이 생김.

법이 아니다. 일면이 여구(如舊)[165]인 운니동(雲泥洞)[166] 황윤덕 씨야 말로 나를 위하여 무한히 심력을 썼다. 그는 과연 나에 대한 절대의 미인(美人)[167]이며 지기(知己)[168]였다. 만일 그가 없었다면 나의 소지(素志)[169]도 얼마만큼 타격을 받았을 것이다.

그리하여 고보(高普)[170] 입학이 어언 4개 성상(星霜)[171]에 우리의 생활은 일간 세옥(貰屋)[172]과 한 대의 재봉기(裁縫機)[173]였도다. 그래도 나는 가정교육의 따뜻하고 학교교육의 엄정한 가운데서 오늘까지 계속되었다. 그러나 내 장래가 종시(從是)[174] 이러한 따뜻한 점인가 또는 이보다 더한 냉정(冷靜)한 점일까 이는 앞으로 당해볼밖에 없다. 예기(預期)[175]할 수는 없다. (이하 일면(一頁) 약(畧))[176]

※ 신여성 잡지 내에는 임성숙 양의 사진과 서예 글씨 사진이 첨부되어 있고 그 옆에는 다음과 같이 쓰여있다.(역자)

---

165) 여구(如舊)하다: 모양이나 상태가 옛날과 같다.
166) 운니동(雲泥洞): 서울특별시 종로구에 있는 동
167) 미인(美人): 아름다운 사람. 재덕(才德)이 뛰어난 사람.
168) 지기(知己) = 지기지우 知己之友: 자기의 속마음을 참되게 알아주는 친구
169) 소지(素志): 본래부터 품은 뜻
170) 고보(高普): 보통 고등학교의 준말
171) 성상(星霜): 별은 일 년에 한 바퀴를 돌고 서리는 매해 추우면 내린다는 뜻으로, 한 해 동안의 세월이라는 뜻을 나타내는 말. 즉 4개 성상은 4년을 뜻한다.
172) 세옥(貰屋): 세 내고 있는 집
173) 재봉기(裁縫機): 재봉틀
174) 종시(從是): 끝까지 내내
175) 예기(預期): 앞으로 닥쳐올 일에 대하여 미리 생각하고 기다림.
176) 이하 일면(一頁) 약(畧): 이하 한 면 생략

"경성여자고보 제일의 재원(才媛)[177]인 임성숙 양(본과 4학년 수석)은 특별히 한학(漢學)과 서도(書道)에 능한 이라 이제 그의 고학(苦學) 생활의 회상기와 아울러 필적(筆跡)을 소개합니다."

177) 재원(才媛): 재주가 뛰어난 젊은 여자

남성적 여성. 여자 테니스[178] 선수 문상숙 양 이야기: 난파생(홍난파)[179]

세상에서는 이름도 얼굴도 알지 못하는 아직 나이 젊은 한낱 학생으로 제1회 전 조선 여자 테니스 대회에 출전을 하여 갑자기 이름을 세상 사람들의 귀에 익숙하게 하고 상시(常時)에 만장(滿塲)[180] 인기를 이끌면서 은컵의 찬란한 광채로 더불어 빛나는 영예를 얻은 진명여자고등보통학교의 문상숙 아가씨는 어떠한 분인가? 그의 살림은 어떠하며 공부하는 성적은 어떠하며 테니스는 언제부터 시작을 했는지? 좀 들어보시렵니까? 그는 이러한 분이올시다.

누구나 다 어렸을 때는 끔찍이 귀엽게 기릅니다만 문상숙 아가씨는 더욱이 유달리 귀엽게 길렀습니다. 그리고 남들보다 금은(金銀) 보옥(寶玉)을 가지고라도 바꿀 수 없는 것 한 가지를 못해본 한이 있는 분입니다. 그는 여덟 살 되던 해에 아버님을 잃었습니다. 귀여워해주시는 것을 깨달을 임시(臨時)[181]에, 아

---

178) 원 표기: 정구(庭球)

179) 홍난파(洪蘭坡): 동요 '고향의 봄' 작곡가이자 바이올리니스트. 필명은 난파생, 난파, 홍영후(洪永厚), 나소운(羅素雲), Y·H생, 도레미(都禮美), 도레미생(生), ㄷㄹㅁ, 솔·파생(生), ㅎㅇㅎ 등으로 활동했다. '수양동우회'사건 이후 친일활동을 하여 2009년 친일반민족행위 705인 명단에 올랐다.

180) 만장(滿塲)=만장(滿場): 회장(會場)에 가득 모임. 또는 그런 회장. 회장에 가득 모인 사람들.

181) 임시(臨時): 미리 정하지 아니하고 그때그때 필요에 따라 정한 것. 미리 얼마 동안으로 정하지 아니한 잠시 동안. 정해진 시간에 이름. 또는 그 무렵.

버님을 따르고 싶게 될 만한 임시에 그의 아버님께서는 다시 오지 못하실 지향 모를 길을 떠나버리셨습니다. 그래서 아버님의 사랑을 겹친 어머님의 사랑을 받아가며 오늘까지 길러왔습니다. 더욱이 동생으로는 손으로 언니가 두 분이 계실 뿐이오, 오라버님은 안 계십니다. 손아래로는 동생이 없습니다. 그래서 그 어머님께서는 아들 겸 딸 겸 겸사겸사[182]로 불면 날까 쥐면 꺼질까 하시면서 오늘까지 고이고이 기르셨습니다. 그에다가 다행히 지내는 형세가 그다지 어렵지 않은 터이니까, 보통 어머니가 따님에게 하는 것과는 훨씬 다르게 하시는 터였습니다. 그의 태생지는 경상북도 김천군 입니다.

세속에 따라서 더욱이 아들 대신으로 기르는 터라 여자도 공부를 시키지 않아서는 안 된다는 것을 깨달으신 어머님께서는 그가 12살 되던 봄에 금천공립보통학교 여자부에 입학을 시키셨습니다. 원체 남과 달리 영리한 그는 1학년부터 4학년까지 성적이 항상 우수하였습니다. 그리고 원래 천품(天品)[183]이 남성적이었기 때문에 모든 행동이 활발하게 민첩하게 하고 또는 그가 즐기는 것도 역시 그 성격에 따라서 그러한 것이었습니다. 그리하여 보통학교를 마치고 나니 그 어머님 생각에는 차마 멀리 띄워 보내기가 안타까우셨지만 그래도 귀여운 딸의 장래를 위하여 경성에 유학을 시키기로 결정하셨습니다. 그래서 처음으로 고향을 떠날 때에는 보내시기 애달픈 눈물 떠나기 섭섭한 눈물을 서로 나눠가며 어머님의 따뜻한 슬하를 떠났습니

182) 원 표기: 겸두겸두
183) 천품(天品): 천품(天稟)의 오타로 보임. 천품(天稟): 타고난 기품.

다. 그때 그의 나이는 15살이었습니다. 경성에 올라와서 즉시 진명여자고등보통학교에 입학한 것입니다.

입학한 후에 그의 배우고자하는 욕심은 날로 늘어가고 그에 따라 성적은 학기마다 향상되었습니다. 지금까지 그가 4년 동안 그 학교에서 배우는 중 항상 우수하였으며 과정을 나눠볼지라도 낙제점수를 얻은 일은 한 번도 없었다고 합니다.

금년 제1학기 성적을 볼진대 석차는 넷째요 평균점수는 8.86점입니다. 진명학교에서는 평균점수에 대하여 반올림[184]을 하지 않는 까닭에 우등은 아니지만 다른 학교 같으면 물론 우등입니다. 그리고 그가 만점을 얻은 것은 음악, 체조, 수리 등입니다. 그 다음 9점을 얻은 것도 여러 가지가 있습니다. 그 중에 수신(修身)[185]이 9점이요, 특히 그 성격과 대조해보아서 좀 이상히 생각할 것은 자수에 9점을 얻은 것입니다. 그리고 그 중 빠지는 점수를 얻은 것은 가사에 6점인 바, 이것은 그의 성격으로 보아서 의례히 그러할 것입니다.

이것은 탈선한 이야기입니다만. 우리 조선 남학생들 중에 운동선수들이라든지 또는 운동을 즐기는 학생들까지라도 대개 학과 성적이 아주 불량한 모양인데 여자 운동선수들은 어느 학교 운동선수를 보든지 학과 성적까지 우수한 것은 실로 기쁜 일이라고 생각합니다. 문상숙 아가씨의 패로 전위(前衛)[186]를 보는 김가매 아가씨로 말하더라도 학과 성적이 매우 우수하여 문상

184) 원 표기: 사사오입(四捨五入)

185) 수신(修身): 일제 강점기 당시 교과목 중 하나. 지금의 도덕과 유사하나 당시 한국인을 황국신민으로 길러내기 위한 도구로 쓰인 과목이다.

186) 전위(前衛): 복식(複式) 정구(庭球), 배구(排球), 빙구 따위 경기(競技)의 앞쪽 수비자(守備者)

숙 아가씨와 항상 앞뒤를 다투는 터로 이번 학기에도 문상숙의 다음 자리를 차지했다고 합니다.

그런데 문상숙 아가씨가 라켓을 손에 쥔 것은 작년 가을부터라고 합니다. 그때 마침 일본, 조선[187] 여자를 합해 경쟁하는 경성일보사 주최의 전선(鮮) 여자 테니스 대회가 있었던 까닭에 그 대회에 참가해보자는 뜻으로 학교에서 편을 처음으로 조직할 때에 그가 처음으로 테니스를 시작한 것입니다. 그때에는 물론 무참히 패하기는 했습니다만 그때도 역시 대장패로 나가 싸웠다고 합니다. 그 대회를 마친 뒤로는 얼마 되지 않아서 날이 치워진 까닭에 별로 연습도 하지 못했으며 금년에도 특별히 규칙적 연습을 하지 못했다가 동아일보에 전 조선 여자 테니스 대회 개최의 회사 광고[188]가 발표된 것을 보고 비로소 연습을 시작한 것이라고 합니다. 그러니까 실상 규칙적으로 연습을 하기는 모두 처서 한두어 달 가량밖에는 못한 것이라고 합니다. 참말 놀랄 만치 속보(速步)로 기술이 향상[189]된 것이 아니겠습니까?

이제 그의 이상을 좀 들어보시렵니까? 그는 방문한 사람을 보고 다음과 같이 씩씩한 태도로 이상을 말했습니다.

"나는 음악을 그 중 즐겨합니다. 어떻게 하든지 음악은 꼭 배워보려고 합니다. 그러니까 음악 중에서도 기악보다 성악을 즐겨 합니다. 지금 내가 좋아하는 곡조는 타고난 성격이 그래서 그런지는 모르겠습니다만 어쨌든지 활발하고 상쾌한 것을 좋아해요. 테니스도 한평생 놓지 않으려고 합니다. 저번 대회를

187) 원 표기: 일선인(日鮮人)
188) 원 표기: 사고(社告)
189) 원 표기: 상신(上進)

치르고 나서까지도 음악을 배우려는 생각에 테니스는 그만둘까? 어쩔까? 하고 꼭 작정을 하지 못했습니다. 라켓은 언제까지든지 놓지 않겠다는 생각을 가지고 있습니다. 이번에 시골에 가서 있는 동안에는 그곳 남만주 철도[190] 사원 중에 테니스 선수가 한 분이 계셔서 그분에게 코치를 좀 받았습니다. 서브 넣을 때에 적의 태도를 보아서 넣는 방면을 바꾸는데 대한 법과 또는 그것을 받아 넘겼을 때 내가 어떠한 공세를 취해야만 유익할 것에 대해서 몇 가지를 배웠습니다."

◆ 성악가 윤심덕 양의 인상기(印象記)[191], 다음호에 납니다.

190) 원 표기: 만철(滿鐵)
191) 인상기(印象記): 인상에 남은 사실을 적은 글.

남은 한 오라기[192] (구고(舊稿)[193]): 망양초(望洋草, 김명순)[194]

이른 봄 쌀쌀한 치위에
봉오리지우는
엄내이는[195]
근심보다 설움보다

늦은 가을 그리할 때
병들어
마르는
고요한 맑은 웃음을 누가 가져

머리 위에는 흰 구름 피어오르는 여름 하늘
발아래에는 여울의 물 가르는 방구의 이마
시름은 끊임없이 달아나서
절벽위에 얼어붙은 나를 잊을 때

때도 울어라 그렇듯이 애써 구하든
5월에 끝날…………

---

192) 오라기: 실, 헝겊, 종이, 새끼 따위의 길고 가느다란 조각.
193) 구고(舊稿): 전에 써 둔 원고(原稿).
194) 망양초: 김명순(金明淳). 필명은 탄실(彈實) 또는 망양초(望洋草). 진명여학교를 졸업했으며 신문학 최초의 여성문인으로 여성해방을 외치는 선구자 역할을 했다.
195) 엄내이는: 의미 불명

지난날의 동경(憧憬) 번화함을 던져버리고
외로움을 위태롭게 밟은 이때에

내 손에 골라 쥐었든 거문고 줄
실 여섯 그림자 여섯
그는 옛 일이었습니다
지금 남은 것은 가는 한 오라기올시다

사랑의 여섯 수(數)
두셋 셋의 설움을 모았든
그는 옛 일이었습니다
지금 남은 것은 가는 한 오라기올시다

가는 한 오라기 가는 한 오라기
끊어버린 일들을 아주 잊은 그는
님의 노함 나의 불꽃 님의 설움 나의 봄비
님의 외로움 나의 가을 노래도 잊은 줄 압쇼

아아 그림자도 이는
아아 빛도 누런
이 한 오라기를 나락(奈落)[196]길 가는 배 출(出)했습니다
이 한 오라기를 그림자를 찾는 연 출(出)했습니다. (평양서)

---

196) 나락(奈落): 죄업을 짓고 매우 심한 괴로움의 세계에 난 중생이나 그런 중생의 세계. 또는 그런 생존. 섬부주의 땅 밑, 철위산의 바깥 변두리 어두운 곳에 있다고 한다. 팔대 지옥, 팔한 지옥 따위의 136종이 있다. 지옥.

[애화(哀話)][197] 흩어진 달리아: 몽견초(夢見草, 방정환)

1 혜순(惠順)이는 기숙사의 기다란 복도 모퉁이에 아까부터 풀 없이 서 있었다.

좌우는 몹시 조용하다. 간간히 식당 쪽에서 그릇 덜그럭거리는 소리가 그나마 근심스레 들려올 뿐이다. 오늘 저녁에는 먹는 것이 가슴에 걸릴 것 같아서 저녁 차례에 빠져서 혜순이는 혼자 아까부터 나와 선 것이었다.

혜순이는 자꾸 가슴을 진정시키려 애를 썼으나 아무리 해도 가슴이 조용해지지는 않았다. 커다란 불안(不安)과 염려와 궁금이 한 무거운 뭉치가 되어 가슴 한편을 지그시 누르고 있는 것이었다. 하기 방학이 끝나고 어저께까지 다시 모여든 오래간만의 기숙사 생활이라 모든 것이 새로운 것 같고 동무들과의 우정까지도 새로 도담해져서 즐겁게 즐겁게 지낼 것을 내 가슴은 왜 이럴까. 왜 이럴까 하고 마음을 가라앉히려 했으나 한번 잃어버린 마음의 평형(平衡)은 다시 찾아올 수 없었다. 뿐만 아니라 도리어 점점 더 납덩이같은 회색빛 근심이 가슴을 덥혀갈 뿐이었다.

이윽고 걸상 치우는 소리, 신발 찍찍 거리는 소리, 깔깔깔 웃는 소리가 한데 어울려 식당 쪽에서 일어나더니 이쪽으로 걸어오는 발자국 소리까지 울린다. 저녁밥을 다 먹은 것이다! 하고 혜순이는 혼자 생각하였다.

아무 걱정도 근심도 없이 즐거워 날뛰는 학생들은 웃고 떠들고 하면서 운동장으로 몰려 나갔다. 그 중에는 거기 서있는 혜

197) 애화(哀話): 슬픈 이야기. 비화.

순이를 보고 저녁 왜 안 먹었느냐고 묻고 지나가는 학생도 있었다. 그래도 혜순이는 그런 말에 대답을 할 생각도 나지 않았다.

“에그 여기 섰었구먼. 나하고 나가서 테니스 하자.” 하고 혜순이의 손목을 잡고 나가자고 조르는 학생은 혜순이와 한방에 있는 메레[198]였다. 그러나 오늘은 혜순에게 그 말도 반갑지 않았다. 손을 슬그머니 빼어 당기면서 간신히

“오늘은 테니스 아니하겠어.” 하고는 입을 다물어버렸다. 그런 말을 듣고 그런 대답을 하기도 모두 귀찮았다.

갑갑해 견딜 수 없는 맘으로 혜순이는 그 옆에 들창을 드르륵 열어젖히고 내다보았다. 그림자 엷은 9월의 석양이 간간이 저쪽 지붕에 남아있을 뿐이고 역시 좌우는 조용하였다. 먼 운동장에서 공 튀기는 소리가 간간히 들릴 뿐이었다. 그러다가 이따금 이따금 깔깔깔 웃는 소리가 들려왔다. 그런 유쾌한 소리가 들릴 때마다 혜순이의 마음은 견딜 수 없이 더 무거워졌다.

참지 못하여 혜순이는 자기 방으로 돌아왔다. 방은 쓸쓸스럽게 컴컴하게 비어있었다. 혜순이는 힘없이 앉아 마음을 가라앉히려고 책상 위에 고개를 파묻고 엎드렸다. 그러나 가슴은 역시 역시 캄캄한 구렁같은 어둠 속으로 자꾸 가라앉아갈 뿐이었다.

내가 오늘 왜 이럴까 하고 생각할 때에 오늘 아까의 그 설명할 수 없는 이상스런일이 새삼스레 가슴속에 떠오른다.

---

198) 메레: 룸 메이트의 이름으로 추정됨.(역자)

2 아까 저녁시간 되기 조금 전이었다.

혜순이는 기숙사 앞 꽃밭 앞에 혼자 서 있었다. 꽃밭에는 여러 가지 꽃이 가을답게 쓸쓸스레 피어있었다. 그중에도 혜순이가 서 있는 앞에는 겹으로 피는 하얀 달리아 꽃이 저녁 빛에 빛나고 있었다.

이 달리아 꽃이 잘 피어난 것이 혜순이에게는 한없이 기뻤다.

이 꽃이야말로 지나간 봄에 혜순이와 혜순이의 제일 친한 동무 영희(英姬)와 두 사람이 새문 밖 금화원(金華園花草집)에 갔다가 그 뿌리를 사가지고 와서 심었던 것이다. 그 꽃이 방학 동안에 집에 갔던 새에 이렇게 잘 커서 하얀 꽃이 다복하게 핀 것은 더할 수 없는 기쁜 일이었다.

어저께쯤 남들과 같이 올라올 줄 알고 있던 영희는 이제껏 오지 않고 병으로 해서 개학 때에 못 올라간다는 편지만 받은 고로 혜순이는 어서 영희가 병이 나아서 올라올 때까지 이 꽃이 시들지 말고 있어주었으면 하고 마음에 바랐었다.

그리고 영희와 함께 심은 이 꽃이 이렇게 컸거니 할 때에 더 영희의 앓아누웠을 모양이 마음에 끼어서 언짢은 생각을 금치 못했었다. 혜순이는 그 꽃나무 앞에 앉아서 시골집에 앓고 누웠을 영희의 얼굴을 그리느라고 눈을 스르르 감았다. 영희의 무섭게 뼈만 남은 마른 얼굴과 괴로워서 신음하는 모양이 혜순이의 감은 눈에 무섭게 또렷 또렷이 보였다. 그것을 보고 혜순이는 깜짝 놀랐다. 그렇게 투실투실하고 쾌활하게 생긴 얼굴이 어떻게 몹시 앓기에 그렇게 파리해지고 뼈만 앙상하게 남았을까 하고 놀랐던 것이었다.

혜순이는 그만 가슴이 떨려서 감았던 눈을 떴다. 눈을 뜬 혜순이는 또 놀랐다. 떠보니까 그렇게 다복하게 피었던 달리아 꽃이 어느 틈엔지 종적도 없이 흩어져 떨어져있었다. 이게 꿈이 아닌가 하고 혜순이는 눈을 비볐으나 역시 꿈은 아니었고 눈 감고 영희 얼굴 보던 그 동안에 이상하게도 달리아 꽃은 산산이 흩어져 떨어진 것이었다.

한 겹으로만 핀 달리아면 흩어지는 일도 있지만 겹으로 핀 달리아는 의례 그냥 매달린 채로 시들어버리는 것인데 그 꽃이 흩어져 떨어졌다는 것부터 이상한 일이었다. 흩어지는 법 없는 꽃이 금시에 흩어진 것도 이상한 일이요, 그렇게 싱싱하게 갓 피어난 꽃이 눈 잠깐 감은 동안에 흩어져버린 것도 이상한 일이라 도저히 잊지 못할 일이 사실로 있었으니 그것을 그냥 저버리는 수는 없었다. "분명히 무슨 나쁜 일이 있을 증조려니." 하는 생각이 자꾸 나서 혜순이는 남모르는 큰 걱정을 산 것이었다. 오늘부터 개학이 되어서 남들은 모두 모였는데 영희 혼자 앓고 있느라고 못 온 것이 이미 혜순이에게는 큰 근심이었는데 꽃밭에서 그의 다 죽게된 얼굴을 보자 그때에 그 꽃이 이상하게 흩어진 일은 일종의 기적적(奇蹟的)으로 무슨 나쁜 일을 예언(豫言)하는 것 같이밖에는 달리 생각할 길이 없었다.

앓는다는 영희가 지금쯤은 어찌되었을까 아까 눈에 뵈던 대로 그렇게 뼈만 남았으면 어쩔까 혹시, 혹시……. 하고 생각하면 할수록 캄캄하고 무거운 느낌밖에는 없었다.

"우리들이 이 꽃나무를 심어서 잘 키워보자."

하고 지난 봄에 달리아를 심을 때에 영희가 이렇게 말하고 웃던 일을 혜순이는 생각하였다. 그리고 그 꽃나무 싹이 차츰

차츰 자라가는 것과 똑같이 영희와 서로서로 사모하는 정이 점점 자라가던 일도 생각하였다. 그리고 날마다 그 꽃밭에서 둘이 손목을 잡고 재미있는 이야기를 하며 지내던 일도 생각하였다.

"이 달리아가 필 때에 또다시 여기서 만나자."

이렇게 약속하고 기숙사에서 헤어지기는 1학기 시험이 끝나던 날 오후였었다.

그런데 그런데 그 이 어여쁘게 핀 달리아를 본 것은 혜순이와 영희의 두 사람은 아니었다. 영희는 어찌 되었나 영희는 어찌 되었나…….

이런 모든 일을 생각할수록 혜순이에게는 달리아의 흩어진 것이 더 애처롭고 이상한 증조 같았다. 새까만 땅 위에 산산이 흩어진 꽃잎은 보기에도 측은한 시체를 보는 것 같았다. 그래서 차마 거기 오래 있을 수 없어서 혜순이는 그 꽃밭에서 나왔다. 무거운 무거운 가슴을 안고…….

그것이 오늘 아까 저녁밥 시간- 5시 반- 조금 전이었다.

3 혜순이는 책상 위에 고개를 파묻고 앉은 채로 이런 일을 자꾸 생각하고 생각하고 하며 있었다.

책상머리에 꽂아놓은 코스모스의 가는 꽃은 근심스럽게 흔들거리고 있었다. 누가 타는지 피아노의 구슬픈 곡조가 울려왔다. 혜순의 가슴은 점점 애달프게만 끌려갔다. 견디다 못하여 벌떡 일어나서 방 속을 왔다 갔다 하며 거닐었다.

여름방학이어서 끝났으면! 하고 고대 고대하다가 올라왔건만 친한 동무의 병보(病報)밖에 만나지 못한 것이 어떻게 자기 마음을 섭섭하게 하였었나를 혜순이는 생각하였다.

운동에 공부에 산보에 남들은 모두들 즐거워하건만 영희가 없이는 혜순이는 모두가 무심하였다.

방방에 전등이 켜지고 복습종이 울렸다.

운동장에 있던 학생이 제방 각기 돌아가고 혜순이와 한방에 있는 메레도 들어왔다.

"무슨 근심할 일이 있는 모양이니 말을 좀 하구려." 하고 메레-는 친절히 말해주지만, 그 말에도 "아니, 아무 근심도 없어." 할 뿐이었고 오늘 저녁때 달리아 꽃이 이상하게 흩어진 이야기는 하고 싶지도 않았다.

복습 시간이거니 하고 혜순이도 제 책상 위에 책을 펴놓았으나 글자 한자 눈에 들지 않았다. 책을 덮고 공책과 연필을 내어들었다. 그러나 역시 아무 복습도 되지 않았다. 공책에는 영희, 영희 하고만 자꾸 써졌다. 혜순이는 연필도 힘없이 스르르 놓았다. 그리고 메레-를 보았다. 메레-의 옆에는 임자 없는 빈 책상이 쓸쓸하게 놓여있었다. 그것이 영희의 책상이었다.

기어코 혜순이는 참다못하여 영희에게 편지를 썼다. 써가지고는 흩어진 꽃잎까지 넣어서 보냈다.

4 기어코 일은 당하였다.

영희의 죽음이 사감(舍監)선생의 입으로 기숙사 학생들에게 전해지기는 그 이튿날 아침이었다.

식당에 모여있던 학생들은 "에?" 하고는 가늘게 소리치며 놀라는 외에 입도 못 벌리게 마음이 섬큼하였다. 식당 안은 죽은 듯이 조용하였다. 숟가락 소리 하나 내지 아니하고 식사를 그럭저럭 치러버렸다.

그 학생들 중에 혜순이도 섞여있었다. 어저께부터 근심하고 염려하던 일이 기어코 터져버려 무거운 뭉치로 머리를 때리는 것 같이 혜순이는 정신을 잃듯 했다. 전신에 맥이 병든 사람처럼 펄펄뛰고 가슴이 울렁울렁하였다. 혜순이는 그중에도 두 손을 가슴에 대고 자꾸 맘속으로 죽은 영희를 위하여 기도를 올렸다.

식당에서 나와 자기 방으로 돌아온 즉 그만 설움이 쏟아져서 그냥 털썩 엎드려져 으엉 으엉 흐느껴 울었다. 모든 사람이 쫓아와서 달래 말리어도 말릴수록 혜순이는 더 섧게 울었다. 공부도 아니하고 그날을 내 처 울었다.

5 혜순에게 영희의 오빠가 쓴 편지가 오기는 그 후 여러 날 지난 뒤였다. 편지는 이러하였다.

혜순씨께

저는 영희의 형 되는 준영이올시다. 영희의 생전에 여러 가지로 친애해주심을 받은데 대하여 제가 영희의 대신으로 깊이 감사한 예를 올립니다.

그만 영희는 세상을 떠나고 말았습니다. 또 꿈결같이 생각됩니다. 죽기 한 삼주일 전부터 각기(脚氣) 비슷한 증세로 누워있었으나 병이 원채 우스운 병인 까닭에 병인의 태도가 매우 예사롭게 뵐기 좋게 뵈었었습니다. 의원조차 그러한 결과를 맺을 줄은 꿈에도 생각지 않았다고 합니다. 그러니까 집안 식구들은 마음을 턱 놓고 있었습니다.

죽음은 갑자기 달려들었습니다. 일을 당하던 날 아침에는 다른 때보다도 정신기가 나니 마루에 나가서 얼굴을 좀 씻어보겠다고 했습니다. 병인에게는 제가 하고 싶은 대로 하게 하는 것이 도리어 약이 된다고 해서 어머님께서는 대야에 물을 떠놓아주셨습니다. 그래서 영희는 마루로 엉금엉금 기어 나와서 즐겁게 낯을 씻고 있었다고 합니다.

그리하다가 갑자기 복개기를 시작하면서 그 자리에 벌떡 자빠져서 신음하는 소리는 점점 높아졌었다고 합니다. 충심성(衝心性)[199] 각기였던 것입니다.

어머님의 부르시는 소리에 놀라서 식구들이 아랫방에 뛰어 내려가 보니까 그때 영희는 심장을 쥐어뜯기는 것 같이 몹시 복개여가며 신음했습니다. 그때 영희가 못견뎌하던 것을 생각하면 지금이라도 소름이 끼치고 뼈가 아픕니다. 의원이 놓아준 주사의 힘으로 점심때가 조금 지나서부터는 얼마간 가슴 아픈 증세가 감해진 것 같았습니다만 그는 정신없이 잠자는 것 같이 초췌해져 버렸습니다.

"오늘 저녁때를 넘기기가 어려웁겠지요."라고 하는 뼈아픈 의원의 선언을 우리 집안사람들은 듣지 않을 수 없이 되었습니다. 저는 그 선언을 머리를 숙이고 잠자코 앉아서 들었습니다. 지금의 술을 가지고는 하는 수가 없다는 말이였습니다. 영희는 눈을 감기 조금

199) 충심(衝心): 병 기운이 가슴으로 치밀어 오름.

전까지도 자기는 살 수가 있다고 꼭 믿는 것 같았습니다. 영희는 아버님 어머님과 저를 자기의 베개 곁에 불어 앉히고 여러 가지 말을 했습니다. 입술 가에는 보일 듯 말 듯 한 미소가 떠올랐습니다. 그러니까 저는 참말 죽을 줄은 뜻도 못했습니다.

죽음은 고요했습니다. 아버님 어머님과 또는 제 손을 쥐고 이별하는 말을 했습니다. 그때에 당신의 이름도 불렀습니다.

"오빠! 내가 죽거든 이 십자가(十字架)를 혜순이에게 보내주세요. 내 마음이 가득이 차 있는 이 십자가를."

영희는 이렇게 말하고 언제든지 제 목에 걸고 있던 순은으로 만든 십자가를 저를 내주었습니다. 저는 그것을 받아가지고 머리를 끄덕끄덕 해보였습니다. 그제야 모든 것이 만족한 듯이 빙그레 웃었습니다. 그로부터 한 5-6분이나 지났을까 못 지났을까 한데 영희는 잠들 듯이 곱게, 곱게 세상을 떠났습니다. 그때에 시계침은 5시 5분을 가리켰습니다.

당신이 영희에게 부치신 마지막 편지는 관이 집을 떠나기 조금 전에 도착했습니다. 나는 얼른 영희의 관 앞에서 그 편지를 펴들고 읽어 들렸습니다. 내 목소리는 모르는 결에 목메인 소리로 변했습니다. 그리고 쥐었던 편지도 벌벌 떨렸습니다. 그뿐 아니라 아버님 어머님께서는 조상 왔던 모든 사람들이 당신의 뼈에 맺힐 듯한 말씀을 듣고 눈물을 아니 흘리는 이가 없었습니다. 영희도 당신의 따뜻한 우정에 정녕코 울었을 것입니다.

"혜순씨 편지는 그 달리아 꽃 잎사귀와 함께 관 속에다 넣어 주어라. 영희의 혼령인들 오죽이나 기뻐하겠니."

하시고 어머님께서 눈물 먹음으신 목소리로 말씀하시기에 나는 어머님 말씀대로 했습니다.

그날 달리아 꽃이 공연히 떨어진 것도 참말 괴상한 일이올시다. "꽃이 필 때에 또다시 이곳에서 만나자." 고 약속한 영희는 당신과 언약한 것을 어기지 않았다고 나는 칭찬하였습니다. 정녕코 그때에 당신을 보려고 그곳에 갔었던 것이겠지요. 이 세상에 그러한 기적(奇蹟)이 없다고 누가 말하겠습니까.

영희의 유언을 좇아서 영희의 십자가를 보내드립니다. 그리고 혀-아버님이시든지 내가 기숙사에 가서 영희의 뒤치다꺼리를 할 터입니다. 그 때에 또다시 사례를 드리겠기로 이만 실례합니다.

- 1923년 9월 일 김준영(金俊英) 배(拜) -

혜순의 손에는 영희오빠가 보내준 영희와 마지막 선물인 십자가가 놓여있다. 그것은 영희가 늘 한때도 놓지 않던 순은십자가였다.

혜순은 십자가를 손에 쥐고서는 영희가 죽음의 길을 걷는 모양을 활동사진 보듯이 넉넉히 그려보았다. 영희오빠 편지를 손에 쥐고서는 영희가 고요히 임종하는 모양을 그려보았다. 달리아 앞에 서서 영희로 더불어 괴상한 말을 남기고 난 후에 든 것이 또다시 새롭게 생각났다.

혜순이는 영희가 걸고 있던 모양으로 저의 목에다 그 순은십자가를 걸어보았다. 십자가의 은빛이 영희의 마음과 같이 고결하게 빛나서 눈동자를 비춘다. 기도를 드리고 싶은 슬픔이 왔다. 그래서 그는 그 자리에 무릎을 꿇고 마음 깊이 영희의 명복(明福)을 빌었다.

기숙사 뒤 숲 사이로는 넘어가는 붉은 햇발[200]이 질질 끌리며 숲속에서는 이름도 모를 벌레울음소리가 슬프게 들리기 시작했다.

200) 햇발: 사방으로 뻗친 햇살. 일각, 햇귀.

◆ 오는 호부터 가정란(家庭欄) 특설(特設) ◆

가정 개량(改良), 생활 개선 이것은 목하(目下)[201] 우리 사회의 큰 문제외다. 긴급(緊急)하고도 중대(重大)한 문제(門題)외다. 여기에 대하여 우리는 어떻게 할까? 이것을 해결(解決)하기 위하여 우리 신여성(新女性)은 오는 호(號)부터 특히 가정란(家庭欄)을 별(別)로 두어서 여러분의 의견(意見) 또는 여론(與論)을 모아 공개(公開)하겠습니다.

여러분 될 수 있는 대로 가정(家庭) 개량(改良), 생활개선(生活改善)에 대한 의견, 즉 거처(居處)는 어떻게, 의복(衣服)은 어떻게, 음식(飮食)은 어떻게 자녀(子女) 양육(養育)은 어떻게, 위생(衛生)은 어떻게 했으면 좋겠다는 그 재료(材料), 그 방법(方法) 그 편의(便宜), 그 이득(利得) 최후(最後)에 그리함에 대한 사회(社會)의 공동(共同) 행복(幸福) 등(等)을 생각한 대로 듣는 대로 보내는 대로 아무 때든지 신여성 편집실(新女性 編輯室)로 보내주시되 아무쪼록 간단하고 알아보기 쉽게 조선글로 뚝뚝히 써주십시오.

-신여성 편집실(新女性 編輯室)-

201) 목하(目下): 눈앞의 형편 아래

조각보

나는 여자거니. 여자니까 여자의 태를 내야겠거니. 나는 미(美)이거니. 미인이니까 미인의 태를 내야겠거니. 나는 학생이거니. 여학생이니까 여학생의 태를 내야겠거니 하는 그 가증스러운 태. 그 야슥야슥[202]한 짓. 그거 다 집어치우고 그저 툭 털어놓고 더북더북하게 지냈으면 사람다우련만 어디 오늘의 여자들이 그래야지.

- 춘파(春坡) -

매일 요사이 여학생들은 사상이 부패한 것 같습니다. 원대(遠大)한 이상이 없고 목전의 공명만 생각하느라고 허영에 뜨는 것 같다고 생각됩니다.

-현덕신(玄德信) -

고아지다. 싹싹해지다. 아름다워지다. 부드러워지다. 정 깊어지다. 한만해지다[203]. 천진 그대로 있어지다. 헛되지 말아지다. 남자 같지 말아지다. 어른 같지 말아지다.

- 팔극(八克)[204] -

이 말을 들으면 일부 여자 아니, 여자란 온통, 아니 남자까지

202) 원 표기: 야속야슥, 야슥야슥: [북한어] 말이나 행동이 매우 눈꼴사납고 비위에 거슬리게 얄미운 모양.
203) 한만하다: 되는대로 내버려 두고 등한하다.
204) 팔극(八克): 유지영(柳志永). 일제강점기 매일신보 기자, 조선일보 기자, 동아일보 기자 등을 역임한 언론인.

도 온통 "이게 무슨 소리냐." 하고 껑충 뛰겠지만 나는 어쨌든 말해둔다. 즉 이로부터는 부부(夫婦) 동거(同居) 주의를 없이하잔 말이다. 내 아내니 내 남편이니 하여 한 울타리 속에 뭉쳐있어서 더러운 성욕만 만족시키지 말고 따로따로 떨어져 살잔 말이다. 그리하여 만나고 싶을 때 한 번씩 만나고, 만나되 사람이라는 한 친구로 만나자고 한다. 좀 생각들 해보면 알려니와 아무래도 그리함이 개인에게나 사회나 이로울걸.

– 소춘(小春)[205] –

근래 여자들이 주재 넘은 마음이 많지만 특히 외국에 가서 공부한 여자들이 더 많습니다. 중학교 하나도 변변히 마치지 못하고 와서는 본국에 있는 남자는 자기의 배우될 사람이 없다고 하고 독신 생활을 하니 무엇을 하니 하다가 결국 타락이 되어 사회의 배척을 많이 받습니다. 이것이 특히 주의할 일이올시다.

– 창려(滄旅) –

요새 여자의 저고리가 비교적 전일보다 길어진 것은 좋은 일이나 그 대신에 치마는 자꾸 짧아집니다. 젖을 드러내놓는 것보다 놓는 정강이를 내놓는 것이 좀 나을지는 알 수 없으나 치마는 과히 짧지 않게 입었으면 좋겠습니다.

– 청오(靑吾)[206] –

---

205) 소춘(小春) 김기전(金起田)

206) 청오(靑吾): 차상찬(車相瓚). 일제강점기 시인, 수필가, 언론인. 신여성, 개벽 등 잡지의 기자로 활약했다. 대표작으로는 경주회고(慶州懷古), 남한산성(南漢山城), 관동잡영(關東雜詠), 가야회고(伽倻懷古) 등

여학생을 잘 알지는 못하나 다소 가졌다는 지식이 대개 겉만 핥는 것이고 속을 모르는 것 같이 보이는 것이 유감인가 합니다. 하나를 알아도 자세히 알고 있어야 할 것이겠는데…….

또 한 가지 좀 더 부드럽고 상략[207]하고 재미스러웠으면 합니다. 여자로서 너무 뚜벅뚜벅하니까요.

-소파(小波, 방정환) -

여학생에 대해서 비평하는 사람이 백이면 아흔 아홉은 못된 흉만 들추어냅니다. 옷 입는 것, 걸음 걷는 것, 웃음 웃는 것 그밖에 살림살이하는 것들을 보는 대로 입이 째지게 흉을 봅니다. 그러나 흉을 보는 사람은 흉한 것만 보아서 흉을 보지만 나는 칭찬할 한 가지를 보았습니다. 학생 시대에는 어떻게 지냈는지 모르지만 시집가서 아이 낳아서 기르는 것을 보기까지도 때맞춰 아이 양에 알맞게 먹이고 옷도 철 맞춰 아이 체온에 알맞게 입히고 그밖에 아이의 장난감 사주는 것, 구경시켜주는 것, 목욕시키는 것, 커서 학교에 다니게 되면 집에서 때때로 곧잘 복습시키는 것을 보면 낡은 여자로서는 백번 죽었다가 환토하더라도[208] 될 수 있으랴. 그래서 나는 여학생의 아이 기르는 그것 한 가지를 칭찬합니다.

- 석계(石溪)[209] -

이 있다.

207) 상략하다: 글이나 말의 윗부분을 줄이다.

208) 환토하다: 토지를 바꾸거나, 토지를 팔고 대토(代土)를 얻다.

209) 석계(石溪) 민영순(閔永純): 일제강점기 독립운동가. 천도교에 입교하여 3·1운동에 참여하는 등 민족운동에 힘쓰다가 일제의 고문으로 사망하였다.

내가 보기에 제일 안된 것은 여자의 약한 것이외다. 육체의 약한 것은 말할 것 없으나 제일 그 정신 약한 것이 안되었소. 그 약한 예를 들면 빈 집에서 혼자 못 자는 것, 남편과 떨어져 혼자 독립생활 못하는 것, 먼 길을 혼자 못 가는 것, 남이 옷을 잘 입으면 자기도 그렇게 입지 못해서 애를 박박 쓰는 것, 좋은 세태나 언짢은 세태나 세태 만나면 그대로 쫓노라고 발을 벗고 달음박질하다시피 하는 것 같은 것이외다. 이것은 특히 조선여자만 그런지는 모르거니와.

- 일연(一然)[210] -

나는 근래 소위 신여자들이 권리의 평등이니 연애의 자유이니 하고 부르짖는 소리를 자주 들었다. 그러나 평등이니 무어니 하고 말로 하느니만큼 실제 노력을 하는 것을 보지 못하였고 연애의 자유이니 무엇이니 하나 어떤 것을 연애라 하는지 진정한 자유가 어떤 것인지 철저하게 아는 이를 보지 못하였다.

- 홍일창(洪一昌)[211] -

---

210) 일연(一然): 조기간(趙基栞). 일본식 이름: 아마야 다다시(天谷正). 일제강점기 천도교 지도자. 친일반민족행위 705인 중 1인이다.

211) 홍일창(洪一昌): 일제강점기 독립운동가. 천도교 의사원으로 근무한 이력이 있다.

즐거운 모듬. 여자고등보통학교[212]의 동창회: 소파(小波, 방정환)

8월 15일 이날에 경운회(慶雲會, 경성여보 동창회) 총회(總會)가 하운하모교(廈雲河母教)네 집에 열렸다.

장마 뒤끝의 오락가락하는 비가 길가는 사람의 가슴을 졸이게 하는 때 오전 11시의 개회 시간을 대여 한 사람 두 사람씩 반가운 낯으로 모교를 향하고 모여드는 부인네를 보기는 하였으나 편집실(編輯室) 일을 치우고 춘파(春播)와 함께 사진반(寫眞班)[213]을 동행하여 회장 입구를 더듬기는 오후 1시 5분쯤 지난 때였다. 녹음 진 나무 그늘마다 색 물들인 조화에 "오늘 잠깐의 기다림이 긴 세월"[214]이니 "동창의 정이 만년 간다."[215] 이니 하고 갖가지 그날의 정회(情懷)[216]를 쓴 조회가 주렁주렁 매달리는 바람에 흔들리는 것을 볼 때, 우리도 동창의 고우(故友)[217]나 만나는듯싶은 정을 느꼈다. 오색(五色) 색지(色紙)와 만국(萬國) 색기(色旗)를 장식한 사이를 안내해주시는 손 선생을 따라 강당에 들어가 한자리를 차지하니 그때는 벌써 순서 중의 회무(會務)[218], 회계보고, 역원(役員)[219] 개선

212) 원 표기: 女高普(여고보)
213) 사진반(寫眞班): 신문사나 잡지사 따위에서 사진 촬영을 임무로 하는 반.
214) 원 표기: 今日店待如千秋
215) 원 표기: 同窓之情萬年長
216) 정회(情懷): 생각하는 마음. 또는 정과 회포를 아울러 이르는 말.
217) 고우(故友): 사귄지 오랜 벗
218) 회무(會務): 회의에 관한 여러 가지 사무
219) 역원(役員): 어떤 단체에 소속하여 그 단체의 중요한 일을 맡아보는

(改選)[220]과 재미있고 정취 깊었을 회식(점심) 까지 끝나고 회장(오사다 교장, 長田富作 校長)의 강화(講話)[221]가 있을 때였다. 모인 사람이 90여명(전 회원 700여명) 이나 되는데 거의가 70%, 30%의 트레머리인 중에 편발(編髮)[222] 처녀가 5인(人) 섞인 것도 이채(異彩)였거니와 쪽진 부인이 4인이나 섞인 것과 귀여운 아기까지 하인 시켜 업혀온 이가 있는 것이 동창회다운 기분을 더 두텁게 하였고 강화가 있는 중임에도 불구하고 늦게 오는 고우의 얼굴을 볼 때마다 참을 수 없이 반가운 정에 자리를 들먹들먹하는 것도 이날의 특별한 정이었다. 회장의 담화가 끝나고 5분간 담화에 옮아 현 선생(전 교수(教授))의 소감이 있었고 뒤이어 순서는 음악에 이르러 이곳 회원으로 악단의 신성인 한기주(韓 琦柱)씨의 독창, 고봉경(高鳳景)씨 피아노 독탄(獨彈), 신숙희(申淑熙) 씨의 독창(獨唱) 박정진(朴貞珍)씨의 풍금(風琴)[223] 독탄(獨彈)이 있어 옛 강당, 옛 교단 위에 옛 벗의 얼굴과 솜씨를 대하는 그네는 회구(懷舊)[224]의 정서(情緒)에 끝없이 취해드는 것 같았다.

음악까지 끝나고 설비(設備)하였던 모의점(模擬店)[225]이 열렸다. 빙수점(氷水店) 우편국(郵便局) 기념 휘호실(紀念揮毫

사람. 임원.

220) 개선(改選): 의원이나 임원 등이 사퇴하거나 그 임기가 다 되었을 때 새로 선출함.

221) 강화(講話): 강의하듯이 쉽게 풀어서 이야기함. 또는 그런 이야기.

222) 편발(編髮): 예전에, 관례를 하기 전에 머리를 길게 땋아 늘이던 일. 또는 그 머리. 댕기머리로 이해하면 편하다.(역자)

223) 풍금(風琴): 오르간

224) 회구(懷舊): 옛 자취를 돌이켜 생각함. 회고.

225) 모의점(模擬店): 일시적으로 모인 손님을 대접하기 위하여 실제의 가게처럼 꾸민 음식점.

室)[226] 소아실(小兒室) 등인데 유희로는 공 넣기, 태 씌우기가 있었고 분배된 구매권으로 아무 물건이나 매득(買得)[227]하게 되어 빙수점, 과자점 각점이 대(大) 번창(繁昌)인 중, 우편국에서는 엽서를 사서 선생의 기념 서화 회구를 받아 그 즉석에서 그날 불참한 회원에게 통신을 써서 우편국에 넣게 된 것인데 이 또한 대 번창이라 기웃이 엿보니까 통신 쓰느라고 여기저기서 고개를 기웃거리고 연필 끝을 혓바닥에 자주 대는 것이 보였고 소아실에서는 와자작 무너지는 듯한 웃음소리가 연거푸 일어나 추억의 고운 정과 현실의 생활고를 떠난 환희(歡喜)[228]와 유열(愉悅)[229]만이 이 집을 에워싼 듯하였다. 오후 3시나 넘었을까 2년, 3년 혹은 7-8년에 만난 학우와 손목을 맞잡고 그들의 즐김은 한참 깊어 가는데 들창밖에는 가을 같은 비가 부스럭부스럭 오고 있었다.

아아, 아름답고 착한 젊은이들이여. 당신네에게 끝없는 행복이 있으라.

226) 휘호(揮毫): 붓을 휘두른다는 뜻으로, 글씨를 쓰거나 그림을 그리는 것을 이르는 말. 휘쇄, 휘필.
227) 매득(買得): 물건 따위를 싼값으로 삼.
228) 환희(歡喜): 매우 기뻐함. 또는 큰 기쁨. 환열, 흔희.
229) 유열(愉悅): 유쾌하고 기쁨.

가을 창문 덩굴 풀(추창만초, 秋窓蔓草): 잔물(방정환)

기어코 가을이 왔다. 맑아가는 하늘의 별님을 그리워 그 처녀 같은 코스모스가 어여쁘게 피어났다.

가을은 좋은 철이다. 내방 앞 세 평쯤 되는 뜰에서도 밤마다 벌레들의 음악회는 열린다. 다듬이벌레[230], 귀뚜라미, 배짱이 그 조그만 친구들이 누구보다도 더 고운 소리로 밤이 으슥하도록 가을을 노래한다.

아아, 가을은 분명히 왔다. 시인은 풀잎을 쥐고 울리라. 철학자는 하늘을 쳐다보며 생각하리라. 그러나 이 철에 느끼는 이가 어떻게 시인뿐이랴. 철인(哲人)뿐이랴. 달빛[231]은 처마를 적시고 벌레는 창 밑에 속삭이는데 사람 그립고 세상 그리워 잠 안 오는 밤을 나는 붓장난[232]이나 끄적여 보노라.

가을하면 벌써 나는 언제든지 코스모스를 생각한다. 그가 느른[233] 허리 상글상글한 잎 무엇을 그리워하는 처녀의 눈동자같이 반짝 피어나는 꽃, 그 꽃은 봄철에 본대도 가을을 생각하게 될 것이다. 정말이다. 코스모스는 가을 기상(氣象)을 잘 나타낸 어여쁜 꽃이다.

---

230) 원 표기: 문각씨. 북한에서 쓰는 용어이다. 학명은 Psocoptera.
231) 원 표기: 월색(月色)
232) 원 표기: 작란. (作亂: 난리를 일으킴. 장난.)
233) 느른하다: 맥이 풀리거나 고단하여 몹시 기운이 없다. 힘이 없이 부드럽다.

가을 코스모스, 코스모스 가을. 만일 코스모스가 피어 주지 아니한다면 가을은 얼마나 탄식하고 얼마나 울랴.

청초한 꽃 코스모스. 나는 언제든지 이 어여쁜 꽃을 곱고 착한 여학생과 함께 생각한다.

아직 더럽혀지지 아니한 순결한 처녀 학생 그들이 무슨 욕심(慾心)이 있느냐. 무슨 사악(邪惡)이 있느냐. 세상에 아무리 큰[234] 마풍(魔風)[235]이 불거나 아무리 큰 죄악(罪惡)이 있거나 그네는 오직 순결하다. 세상을 곱게 보고 아름다운 노래를 가진 외에 무슨 딴 것이 있으랴. 아아, 수정(水晶)같이 맑고 꽃같이 아름다운 처녀 학생 그들은 하얀 적삼에 까만 치마를 가든히[236] 입고 산뜻산뜻 걸어 다닌다. 모란[237]은 칙칙하지 장미(薔薇)는 흔흔하지 가시가 있지 그 가느라고 맑고 어여쁘고 가을 맛 가진 코스모스다. 조선 여학생은 코스모스다.

꽃은 봄에도 핀다. 그러나 어떻게 가을꽃같이 맑으며 가을에 국화(菊花)도 있다. 그러나 어떻게 코스모스 같이 청초하랴.

여자는 다 곱다. 그러나 어떻게 처녀같이 고우며 처녀는 다 곱다. 그러나 어떻게 여학생 같이 맑고 고우랴. 갖춰 앉힌 색시도 곱다. 그러나 그냥 고울 뿐이다. 그는 모란(牡丹)이다. 여학생도 처녀일 것에는 다름이 없다. 그러나 그는 고울 뿐이 아닌 것을……. 지(知)로나 정(情)으로나 세련(洗鍊)된 미를 가지고

234) 원 표기: 한
235) 마풍(魔風): '악마(惡魔)가 일으키는 바람'이라는 뜻으로, 무시무시하게 휩쓸어 일어나는 바람의 비유.
236) 원 표기: 갓든히. 가든하다: 다루기에 가볍고 간편하거나 손쉽다.
237) 원 표기: 목단(牧丹)

있다. 맑다. 청초하다. 조선 여학생 그는 코스모스다! 코스모스다!

불에 타는 것 같은 홍장미! 그것은 뜨거운 정렬의 꽃이다. 그러나 거기는 찌르는 가시가 있다. 마치 기생(妓生)갈다 할까 매음녀(賣淫女)갈다 할까.

코스모스는 원래 다르다. 팔팔결[238] 다르다.

그런데 이것이 웬일이랴. 이것이 웬일이랴.

장미가 코스모스 탈을 쓰고 가을의 꽃밭에 숨어들어오기 시작하였다. 가짜 코스모스의 가시에 찔려본 사람이 하나 둘씩 늘어서 코스모스에도 가시가 있다는 말을 퍼뜨려 놓았다.

코스모스를 위해 이보다 더한 치욕(耻辱)[239]이 어디에 있으며 이보다 더한 봉변이 어디 있으랴.

울고 탄식한다. 코스모스가 울고 탄식을 한다. 사랑하는 코스모스가 어깨를 흔들며 흐느껴 운다.

그까짓 것이 무슨 걱정이랴. 장미는 영구히 코스모스가 되지 못할 것을……. 가시는 가시대로 있는 것을.

그러나 정말로 큰일이 있다. 코스모스를 위하여 정말로 걱정할 일이 생겼다.

장미- 가짜 코스모스와 섞이는 중에 원래의 코스모스에 가시 달린 것이 생기는 것이다.

이렇게 보기 싫은 꼴이 내 눈에 보인다.

---

238) 원 표기: 판판결. 팔팔결: 다른 정도가 엄청남.
239) 치욕(耻辱): 치욕(恥辱)

장미는 코스모스처럼 꾸미기에 노력하여 근사(近似)[240] 근사하게 코스모스처럼 꾸며가면 코스모스 중의 어수룩한 꽃은 그것이 신종 코스모스인 줄 알고 따라가기에 노력한다.

240) 근사(近似)하다: 거의 같다.

내가 다니는 평양여고보(통학교): KSJ

흉을 볼까 자랑을 할까. 흉도 보고 자랑도 하자.

◇ 질소(質素)[241] 위주의 하세가와(長谷川)[242] 교장!

우리 학교와 같은 정도, 같은 성질을 가진 서울여자고등보통학교는 벽돌로 신축한 2층 양옥이오, 우리 학교 바로 동측 뜰 앞에 있는 명륜여자보통학교까지도 이도 또한[243] 벽돌 양옥에 서슬이 푸르렀는데 유독 우리 학교는 퇴색된 목양제(木洋製)[244]에 승급할 줄을 모른다. 이러한 교사(校舍)에 계시는 선생들이라 그러한지 기회 있을 때마다 내세우는 것은 검덕(儉德)[245]이며 질소(質素)이다. 지난번 여름방학 때의 일이다. 오래간만에 고향에 돌아갈 기쁨과 자랑을 가진 우리 학생 동무들 중에는 평소의 주의가 있었음에도 불구하고 뒤 높은 구두[246]를 신은 사람이 있었다. 지독도 하여라. 사무실에서는 그 구두를 일체로 압수하여 그 뾰족한 구두 뒤축을 떼고서야 내주었다. 뒤 높은 구두를 신어볼 때가 어느 때이며 의복에도 언어에도 출입에도 자기의 성품이나 또는 기호에 따라서 마음대로 해볼 날이 어느 날일까. 학생들, 우리 학교의 학생들은 이러한 생각

---

241) 질소(質素): 사치(奢侈)하고 꾸미지 않아 순수(純粹)함. 검박하고 질박함.
242) 長谷川鷁四郎: 1921-1933까지 평양여자고등보통학교장을 역임함.
243) 원 표기: 역여시(亦如是)
244) 목양제(木洋製): 나무로 지은 서양식 건물
245) 검덕(儉德): 검소하고 질박한 행실이나 마음가짐.
246) 하이힐

까지를 남달리 아니할 수 없게 된다. 우리를 교도(敎導)[247]하시는 선생들-특히 깐깐하기로 이름이 계신 하세가와 교장 선생님이 시키는 일이라 설마 나쁜 일이 될 리야 없겠지.

◇ 학생인 선생인 계준태 양!

그 중에도 지금 3학년생으로 학교 기숙사에 들어있는 계순태(桂俊泰) 금년 19라는 동무는 어쩌면 그렇게도 사람이 얌전하고 또 아는 것이 많은지 우리들은 그를 가리켜 기숙사 선생이라 부르는데 선생이나 학생을 물론하고 계 기숙사 선생을 좋다고 않는 사람은 없는 양이다. 그리고 우리 학교에는 이와 같이 선생인 학생이 계신 것도 장한 일이거니와 이보다 더 훌륭한 것은 어머니 학생이 계신 그것이다.

◇ 어머니 학생인 김정설 여사

즉 그는 사범과(師範科)에 재학하는 김정설(金貞說, 29세)이란 세 어린이를 가진 어머니인데 본교 2학년에 편입되어 도(導)[248] 삼 년간을 하루와 같이 계속하였다. 그 어머니의 공부하시는 말씀을 들으면 퍽 재미있는 사실도 많거니와 퍽 가련(可憐)한 정경(情景)[249]도 없지 않다. 그의 남편 되는 이는 심정이 어찌해서 그런지 여훈도(女訓導)[250]가 평생 부러워서 못

---

247) 교도(敎導): 가르쳐서 이끎. 교육 학생의 주변 문제를 지도하고 상담함.
248) 도(導): 인도할 도(導)
249) 정경(情景): 사람이 처하여 있는 모습이나 형편. 정서를 자아내는 흥취와 경치.
250) 훈도(訓導): 일제 강점기에 초등학교의 교원(敎員)을 이르던 말.

견디겠다는 양반이라는 말이다. 그의 아내인 정설 씨가 세 어린이를 안고서 학교에 들어온 것도 원인의 90%[251]는 거기에 있었던 모양이다. 즉 그렇지 않으면 자기는 그 남편의 소박(疏薄)[252]이라도 당할 형편임을 깨달았던 것이다. 30줄에 가까운 그가 단 하나도 아니요, 셋씩이나 되는 어린이를 데리고 또는 맞벌이 군(軍)도 아닌 남편의 뒤를 일일이 거두어 가면서 3년 동안이나 지내오는 그의 정경이 어떠할까. 시험 때는 되고 일도 밀리고 공부도 밀리어 며칠 동안 눈도 못 붙여가며 책이라고 들고 앉으면 어린애들은 젖 먹여 내라고 달려들고 혹 그런 것이 모두 귀찮아서[253] 달려드는 아이의 엉덩이라도 한 개 부딪치면 으악 으악 울음을 내어서 이렇게도 저렇게도 할 수가 없음에 자못 천장[254]을 쳐다보고 한숨을 지을 뿐이라는 정설 씨의 고충(苦衷)은 나 같은 어린아이로서는 감히 추측도 못할 바이다. 오래 젖을 먹여서 젖줄이 끊어지지 않으면 그 다음에 나 더 생기지 않을까 하여 커다란 셋째 아이를 강제로 강제로 젖을 빨리던 그러한 노력도 공이 없어서 얼마 전부터 그는 또 다시 넷째 아이를 배었다는데 그 자신이나 또는 우리 동무들의 그에 대한 한 가지 기원은 졸업기인 내년 3월을 지내서 해산(解産)[255]되었으면 하는 것이다. 그랬으면 그에게 얼마나 편리가 될까함은 그의 사정을 아는 선생이나 학생이 다 같이 생각하는 바이다.

---

251) 원 표기: 구분(九分)
252) 원 표기: 소박(疎薄)
253) 원 표기: 귀(貴)치 않아서
254) 원 표기: 천정(天井)
255) 해산(鮮産). 해산(解産): 아이를 낳음.

우리 학교에도 이와 같이 갸륵한 어머니 학생이 있는 동시에 이에 못지않은 학생 어머니가 계시다. 즉 나이 어리고 공부 얌전히 하기로 칭찬이 없지 않은 나의 동무 강운희(康雲嬉, 금년 14세)의 어머니는 본디 희천(熙川)[256] 사는 노친인데 자기 딸 공부시키기 위하여 평양 어떤 일본 사람의 집에 고공(雇工)[257]을 들어 벌써 몇 해를 두고 운희의 뒤를 거두어준다. 우리 여자들이란 대개 이와 같이 인내력도 많거니와 동정심도 두터운 것인가 보다. 이것을 좋아라 하고 보고만 있는 남자들의 각박(刻薄)이 무엇보다도 밉다.

◇ 학교의 죄냐 졸업생의 죄냐

내 종으로[258] 또 한 가지 말하고 싶은 것은 우리 학교의 선생에 대한 것이다. 가지가지로 우리 학생들을 강압(强壓)하는 사람이 되어 나날이 개선가(凱旋歌)[259]를 부르는 선생네 그분도 운동이라는 일에서는 언제든지 참패이다. 즉 우리 학교에는 변변치 못하나 앞뜰에는 테니스 코트가 있고 옥내에는 탁구[260]대(臺)가 있어 가끔 선생과 학생에게 선전포고(宣戰布告) 되는데 포고만 되면 최후의 승리는 학생에게로 돌아온다.

이런 말을 해야 좋을까 안 해야 좋을까. 우리 학교에서 제일 섭섭한 일은 한번 학교를 졸업한 졸업생과 학교 사이에 보임직

---

256) 희천(熙川): 평안북도 희천군

257) 고공(雇工): 머슴, 품팔이. 품삯을 받고 남의 일을 해 주는 일. 또는 그런 사람.

258) 종으로: 위아래 방향으로

259) 개선가 (凱旋歌): 싸움에서 이기고 돌아올 때에 부르는 노래. 이기거나 큰 성과가 있을 때의 환성.

260) 원 표기: 뻼봉(ピンポン,ping-pong)

한 연락(聯絡)[261]이 없는 그것이다. 학교 사무실에서는 꽤 졸업생을 연락하고자 애를 쓰는 모양이나 졸업생들은 냉랭하게 모르는체한다. 이것은 말하자면 졸업생 그들이 무정(無情) 무의리(無義理) 하다 함보다도 학교에서 재학 시의 그들에게 불여준 정의(情誼)[262]가 없었음이라 함이 옳겠다. 지금 나부터도 이 학교에서 공부한 지가 3년이 되었으나 소정의 일과를 배워가는 이외에는 학교의 선생이나 또는 기타 무엇에 대한 아무러한 애착도 없다. 내일이라도 나가면 그만일 것 같다. 우리 학교에는 지금도 선생이 도합 15인(人)이나 되는데 일본인 선생이 13인이요, 조선인 선생이라고는 조선어(朝鮮語)와 재봉(裁縫)을 가르치는 서기 겸 선생의 남자 각 1인이 있을 뿐이다. 과정(課程)의 글자나 배우는 데야 일본인 선생이고 조선인 선생이고 무슨 관계가 있으랴마는 사실 말이지 일본인 선생에게는 그렇게 정의(情誼)를 상통(相通)[263]하게까지는 아니 된다.

◇ 더 좀 따스한 인정을 주시오!

허수아비같이 서로 대해서도 글자만 배우는 것이 교육이니라 하면 더 할 말도 없지만 교육이란 그보다도 다른 의의(意義)가 들지 않으면 안 되는 것이라 하면 이러한 형편 밑에서 학생 노릇을 하는 우리의 경우도 그렇게 행복은 아니다. 우리들 학생에게 더 좀 따스한 인정을 주시오. 나는 우선 이렇게 말하고 싶다. - 8월 1일, 3, 김ST -

---

261) 연락(聯絡): 연락(連絡)
262) 정의(情誼): 서로 사귀어 친하여진 정
263) 상통(相通): 서로 마음과 뜻이 통함. 서로 어떠한 일에 공통되는 부분이 있음.

첫 가을과 가정 위생: 백수생(白水生)

○ 첫가을은 병 들리기 쉬운 때

이번 여름처럼 무섭게 뜨겁고 수해(水害)가 참혹하기는 참말로 처음 되는 일인데 이제 다행히 더위와 물은 물러가고 선들선들한 기운이 돌기 시작은 하였으나 이때에 크게 주의하지 않으면 안 될 것이 위생문제인가 합니다.

어느 해 어느 여름이든지 심히 덥던 해는 일기가 갑자기 선선하게 변하기 잘하고 장마 뒤 끝에는 나쁜 병이 발생하여 인명을 상하는 일이 적지 아니합니다.

우리는 그간 혹독한 더위와 지리한 장마를 겪느라고 신체가 매우 피곤해졌습니다. 더욱이 신체가 약하고 보드라운 부인이나 어린이들은 더 한층 피곤해졌을 것이외다. 이렇게 피곤한 신체에 기후가 갑자기 변하면 병나기가 아주 쉽습니다. 특별히 위생에 주의할 이때이외다.

○ 신체와 기후의 조화(調和)

대개 사람의 몸은 기후의 변화를 만날 때마다 기후와 몸을 잘 조화(調和)해야 됨은 물론이외다. 그러나 잘 조화되기는 극히 어렵습니다. 조화가 잘 못되는 고로 기후의 변화를 당할 때에는 혹은 감기가 들며 혹은 소화가 아니 되며 혹은 피부(皮膚)병 같은 것이 생깁니다.

여름 일기가 혹독히 더울 때에는 햇빛이 혹독히 내려 쪼이며 바람이 또한 잘 통하지 못하는 처소에서는 찌는 듯 삶는 듯 도

저히 견딜 수 없습니다. 그래 낮은 물론 밤에 잘 때까지도 문을 막 열어놓고 잡니다.

더운 때에 어떤 일정한 서늘한 바람을 방 안에 통하게 하는 것은 물론 좋으나 그러나 밤에 문을 탁 열어놓고 자게 된 즉 그날 혹독한 더위에 몸이 극도로 피곤한데다가 방안의 온도(溫度)와 매우[264]를 이는 한기(寒氣)를 잡아넣은 즉 몸밖에 해를 받들 것이 없습니다. 그리고 방안의 온도가 얼마나-한 것을 짐작치 못하고 이불 같은 것을 아니 덥고 빨간 몸으로 잔다든지 하면 감기 들기 극히 쉽습니다.

그런고로 가을이 돼야 산산한 바람이 불기 시작하면 머리부터 한기를 막도록 주의치 않으면 안 됩니다. 더욱이 몸이 연약한 어린이들은 특별히 주의하여 몸을 잘 간수해주어야 합니다. 벼것[265]이나 지지미[266] 같은 바람 들기 쉬운 것은 입히지 말고 무명[267]이나 양목[268] 같은 두틈한 옷을 입혀서 바깥 기운과 몸의 온도가 서로 조화되도록 해야 됩니다. 어른도 그리해야 됩니다.

10월 쯤 되면 남은 더위가 아직 있을 터이니까 낮에는 산보나 운동 같은 것을 하기 어려우나 아침 저녁은 서늘하니까 운동이나 산보에 아주 적당합니다. 운동은 혈맥을 왕성케 함은

---

264) 매우: 霾雨. 황사가 대기 속의 습기를 만나 내리는 비. 흙비.
265) 벼것: 베 것으로 추정됨.(역자) 베: 삼실, 무명실, 명주실 따위로 짠 피륙.
266) 지지미: chijimi[縮]. 가스사로 짠 면직물의 하나. 신축성이 좋으며 여름옷의 속옷감으로 흔히 쓰는 일본산 베이다.
267) 무명: 무명실로 짠 피륙. 면포, 명, 목면, 목면포, 백목.
268) 양목: 두 가닥 이상의 가는 실을 되게 한 가닥으로 꼰 무명실로 나비가 넓고 발이 곱게 짠 피륙. 광목보다 실이 가늘고 하얗다. 서양에서 발달하여 이렇게 부르기도 한다.

물론이고 소화가 또한 잘됩니다. 또한 냉수욕이나 냉수마찰(冷水摩擦)같은 것이 좋습니다. 그는 곧 피부(皮膚)의 기능(技能)을 민활(敏活)[269]케 하며 또한 저항력(抵抗力)이 강해야 기후의 격변(激變)을 당할지라도 감기 같은 것이 못 침노[270]합니다. 유럽[271] 같은 데는 밤은 온도가 비상히 낮고 바람이 없는 고로 방안의 온도가 잘 조화 되야 감기 같은 것이 보통으로 적지만 우리 조선은 방에다 불을 많이 때 온도가 높은데다가 밖에 바람이 많아서 방안 온도와는 조화되기가 어려움으로 감기 들리기 극히 쉽습니다. 그런고로 물을 위하여 기후와 온도를 잘 조화해야 되겠습니다.

○ 신체와 식물의 조섭(調攝)[272]

우리의 몸과 식물(食物)로써 말하면 여름은 맥이 신체의 밖에서 돌고 수분(水分)은 증발(蒸發)되고 또한 신체의 기능이 활발치 못하여 식물을 그다 많이 요(要)하지 않지만 가을이 된즉 혈액도 순환 잘되고 신진대사(新陳代謝)의 원리에 따라 식욕(食慾)이 늘어갑니다. 보통 여름에 두 공기, 세 공기 먹던 것을 네 공기, 다섯 공기씩 먹게 됩니다. 그리고 가을은 그- 기분(氣分)이 경쾌(輕快)함과 같이 사람의 기분도 경쾌해집니다. 자연계가 모두 결실(結實)함과 같이 사람도 결실의 기분이 생깁니다. 심신(心身)이 경쾌하니까 자연 식물을 많이 요구합니다. 식물을 많이 먹는 것은 좋으나 소화기(消化器)가 약해지기

269) 민활(敏活)하다: 날쌔고 활발하다.
270) 침노: 남의 나라를 불법으로 쳐들어가거나 쳐들어옴.
271) 원 표기: 구라파(歐羅巴)
272) 조섭(調攝): 건강이 회복되도록 몸을 보살피고 병을 다스림. 조리.

쉽습니다. 여름에 약했던 소화기에 갑자기 식물을 많이 먹으면 위장(胃腸)은 견디기가 어렵습니다. 더구나 익지 않은 과실(果實)이나 좋지 못한 채소(菜蔬)같은 것을 많이 먹다가는 큰 변통이외다.

그러니까 식욕이 하자는 대로 말고 상당히 먹고 가려먹고 운동 잘해야 소화 잘 시키고 기후에 맞추어 몸조심 잘하면 그만이외다.

○ 감기가 걸리면

위에 말씀한 바와 같이 여름으로부터 가을까지에 가장 들리기 쉬운 병은 감기와 위장병이외다. 특별히 호흡기(呼吸器)가 완전치 못한 사람은 감기가 자꾸 침노합니다. 거기에 원인하여 폐렴(肺炎)이라든지 호흡기 병이라든지 디프테리아[273]같은 것이 걸리기 쉽습니다.

그러면 감기가 걸리는 경우에는 어떠한 징조(徵兆)가 생깁니까. 우리가 지나보는 바와 같이 콧물이 나온다든지 혹은 재채기가 난다든지 신열이 난다든지 기침이 나게 됩니다. 이러한 때는 지체하지 말고 곧 병원이나 약국을 찾아가 비링제(劑)[274]를, 0.3 혹은 0.4쯤 복용할 것이외다. 혹 어린이면 절반쯤 먹고

---

273) 원 표기: 지부데리. 디프테리아(diphtheria): 열이 나고 목이 아프며 음식을 잘 삼킬 수 없고 호흡 기관의 점막이 상하며 갑상샘이 부어 호흡 곤란을 일으키고, 후유증으로 신경 마비나 심장·콩팥의 장애가 따르는 급성 법정 감염병. 주로 어린이가 많이 걸린다.

274) 비링제(劑): 피린계약제(pyrine系藥劑). 아미노피린, 설피린 따위의 피라졸론계(系) 약 및 그것을 포함하는 약제. 감기 따위의 해열 진통제로 쓰는데, 약효가 크지만 알레르기에 의한 발진과 같은 부작용도 크다.

따뜻한 음식을 먹고 밖에 자주 나아가지 말고 방안에서 따스하게 지내면 낫습니다. 그리고 기침이 날 때는 제담제(除痰劑)를 먹음이 좋고 열이 37도쯤 올라갈 때나 혹은 기관지가 아플 때는 키니네[275]를 0.3을 복용하고 만약 인후가 아프면 기관지에 적당한 수속을 하고 신체를 편안케 하고 소화되기 쉬운 식물을 먹고 따뜻하게 있으면 낫습니다. 그런데 신열이 37도가 되어 일주일이 넘으면 결해성(結解性)[276]이 생긴다든지 장티푸스균[277]이 생긴다든지 폐렴(肺炎)이 생기기 쉬우니까 곧 의사(醫師)에게 진찰(診察)하여 적당히 치료해야 됩니다. 그리고 감기가 들리기 시작할 때나 또는 심하지 않으면 조선약국에 가서 패독산(敗毒散)[278]을 두세 첩 사다가 다려먹음도 좋고 가제비령을 두어 첩 먹음도 좋습니다.

○ 위장병(胃腸病)이 나면

위에 말함과 같이 여름으로부터 가을에 이르기까지는 식물과 기후가 같이 변화가 많은 고로 급성(急性) 장위(腸胃) 카타르[279]가 생기기 쉽고 혹 장위가 약한 자면 만성 위장 카타르가

---

275) 원 표시: 기니네(キニネ). 키니네(kinine, 네덜란드어): 기나나무 껍질에서 얻는 알칼로이드. 말라리아 치료의 특효약으로, 해열제, 건위제, 강장제 따위로도 쓴다.

276) 결해(結解): 결핵(結核)의 표기 오류로 보임.(역자) 결핵성(結核性): 결핵균(結核菌)으로 말미암아 생긴 병(病)의 성질(性質).

277) 원 표시: 장질부사균(腸窒扶斯菌): 장티푸스의 병원균. 살모넬라균에 속하는 간균(桿菌)으로 8~12개의 편모로써 운동한다. 경구(經口) 침입으로 소장(小腸)에 이르면 발병하며, 직사 일광 · 열 · 건조 따위에 약하다. 에베르트(Eberth, K. J.)와 가프키(Gaffky, G. T. A.)가 발견하였다.

278) 패독산(敗毒散): 강활, 독활, 시호 따위를 넣어서 달여 만드는 탕약. 감기와 몸살에 쓴다.

변하여 급성 카타르가 되는 이가 많습니다. 혹은 위궤양(胃潰瘍) 또는 척수막염(脊髓膜炎)같은 것이 생기기 쉽습니다. 또한 9, 10월은 학교의 신학기가 되는 때인 고로 여태까지 가정에서 쉬고 있든 학교생활을 하게 됨에 따라 식성이 맞지 못하여 위장병이 나기 쉽습니다.

그러면 위장병 나는 경우에는 어떻게 고칠까요. 위장병도 여러 가지겠지만 식물이 위장에 걸리어 그것 때문에 배가 아플 때에는 곧 내려누르는 약을 써서 배제(排除)함도 좋으나 만약 2, 3일 동안 걸리면 이질(痢疾) 같은 것이 될 터이니까 곧 건위제(健胃劑)를 써야 됩니다. 그리고 소화불량이라고 생각할 때에는 쟈스타-제(ジアスターゼ)[280]를 쓰고 이질이 된 경우에는 단날빈(タンナルビン)[281], 쟈쇼산(ヅアショウサン[282]), 소-엔(ソーエン)[283]을 1그램 반쯤 복용하면 좋습니다. 그리해도 이질이 멎지 않은 때는 약의 분량을 2배 먹으면 대개는 낫습니다. 또는 구토(口吐)[284]가 날 듯한 경우에는 위를 서늘케 하고

279) 원 표기: 가답아(加答兒). 카타르: 조직은 파괴되지 아니하고 점막이 헐면서 부어오르는 염증. 감기가 걸렸을 때에 콧물이 멈추지 않는 것처럼 많은 양의 점액을 분비하게 된다.
280) 디아스타아제 [독일어]Diastase: 녹말을 엿당, 소량의 덱스트린, 포도당으로 가수 분해 하는 효소를 통틀어 이르는 말. 녹말 분자의 결합을 분해하는 방식에 따라 α와 β의 두 종류가 있다. 고등 동물의 침 속이나 미생물, 식물 따위에 널리 들어 있으며, 식료품, 발효 공업, 소화제 따위로 쓴다.
281) 타날빈 [독일어]Tannalbin: 알부민과 타닌의 화합물. 냄새가 없는 갈색의 가루로, 소장에서 서서히 분해되어 수렴 작용을 나타내므로 장 질환에 쓸 수 있다.
282) 일제강점기 시판 의약품으로 추정됨.(역자)
283) 일제강점기 시판 의약품으로 추정됨.(역자)
284) 구토(嘔吐)

식물은 유동물(流動物)[285]을 알맞춰 먹음이 좋고 또 배가 비상히 불러질 때는 배를 따뜻이 하고 편안히 누워 있으면 대개는 낫습니다.

○ 머리 감는 법

우리 조선 부인들은 머리를 좀 더 자주 감았으면 좋겠습니다. 머리 감는 것은 위생상 매우 필요한 것이올시다. 머리를 감는 데는 왜비누나 머리 감는 가루를 쓰면 머리가 바스러지거나 빛이 붉어질 염려가 있습니다. 머리 감는 데는 좋은 우무가시[286]로 감는 게 제일 좋습니다. 그리고 함부로 비벼 감지는 마시고 결대로 비비시고 또 한 가지 주의하실 것은 바싹 말린 다음에 쪽 지십시오. 젖은 대로 만지면 해가 됩니다.

---

285) 유동물(流動物): 이리저리 흘러 움직이는 성질을 가진 물질. 유동식(流動食)으로 이해하면 좋을 듯 하다.(역자)

286) 우무가시: 참가시우무: 가시우뭇과의 해초. 길이는 20cm 이상이며, 봄부터 여름까지 번성한다. 저조선(低潮線) 밑의 얕은 곳에서 자라는데 한국의 남해안 일대, 일본, 중국 등지에 분포한다.

살림살이 선생님

의복에 기름이라든지 잉크, 먹, 땀자국 같은 것이 묻어서 잘 빠지지 않는다든지 또는 멀쩡한 의복을 전부 빨 수는 없는데 어떠한 한 부분만 빨고자 할 때에 필요한 몇 가지 약으로 빨아 내는 법을 가르쳐드리겠습니다.

① 땀이 배인 것: 이것은 '암모니아' 수에 물을 반씩 타서 땀 배인 곳을 한 10분가량 담가두었다가 꺼내어 물에 비벼 빨면 완전히 빠집니다.

① 진흙이 묻은 것: 옷에 진흙이 묻으면 그대로 손으로 싹싹 비벼 털어도 흙이 떨어지기는 합니다만 그 자국은 잘 빠지지 않습니다. 그런 것은 달걀노른자를 칠해서 한 20분가량 놓아두었다가 물에 담가 빨면 어렵지 않게 빠집니다. 그래서 물에다 잘 헹구시면 좋습니다.

② 먹이 묻은 것: 이것은 먹 묻은 자리를 축여 놓았다가 먹 빼는 가루(스미누기고, 일본 사람 잡화상점에서 팝니다.)를 손가락에 묻혀 슬슬 비벼서 손가락이 뜨뜻해지거든 물에 담가 비벼 빨면 됩니다. 만일 한 번에 쏙 빠지지 않거든 두세 번 그렇게 하면 쏙 빠지고 말 것이올시다.

③ 검은 잉크가 묻은 것: 이것은 수산(蓚酸)[287] 한 돈쭝[288]과

287) 수산(蓚酸): 옥살산. 카복시기 두 개가 결합한 다이카복실산. 물에 잘 녹고, 식물계에 칼슘염·칼륨염으로 널리 분포한다. 염료의 원료나 표백제 따위에 쓰인다. 화학식은 HOOCCOOH.

288) 원 표기: 돈중(重). 무게의 단위. 귀금속이나 한약재 따위의 무게를 잴 때 쓴다. 1돈쭝은 한 돈쯤 되는 무게이나 흔히 한 돈의 무게로 쓴

물 두 홉[289]의 비례로 타가지고 조그만 털붓으로 찍어서 잉크 묻은 자리를 문질러가지고 뜨거운 물에 담갔다가 꺼내어서 냉수에 빨면 어렵지 않게 빠집니다.

④ 색 잉크 묻은 것: 이것은 묻은 그 즉시는 왜비누로라도 빠질 수 있습니다만 며칠 된 것은 희염산(稀鹽酸)[290]을 물의 배(倍)를 타서 두세 번 빨면 쏙 빠집니다.

⑤ 인주 묻은 것: 이것은 기름을 가지고 만든 것인 까닭에 잘 빠지지 않습니다만 될 수 있는 대로 휘발유로 빠는 것이 좋습니다. 무명 것이면 재를 물에 타서 그것을 덥혀가지고 그 묻은 대를 한 20분 동안 담가두었다가 건져 물에 빠십시오. 그리하면 빠집니다.

⑥ 쇠물 든 것: 이것은 두 가지가 있습니다. 첫째 흰 옷에 든 것은 먼저 뜨거운 물로 빨아가지고 다음에 수선 한 돈쭝을 물 두홉에 풀어가지고 붓에 묻혀서 그 묻은 곳에 바르면 흔적이 없어집니다. 그것을 물에 담가가지고 반씩 타가지고 쇠물든 곳에 칠해서 놓았다가 한 30분가량 지난 뒤에 물론 잘 빨면 쇠물만 빠집니다. 만일 한 번에 잘 빠지지 않거든 또 한 번 그렇게 하십시오.

⑦ 잉키[291] 묻은 것: 이것은 칠 묻은 것 말이올시다. 이것은 묻거든 즉시 빨지 않으면 안 됩니다. 마른 다음에는 잘 빠지지 않습니다. 우선 그 묻은 자리에라든지 또는 흰 헝겊에다

다.

289) 홉: 부피의 단위. 곡식, 가루, 액체 따위의 부피를 잴 때 쓴다. 한 홉은 한 되의 10분의 1로 약 180mL에 해당한다.

290) 희염산(稀鹽酸): 농도가 묽은 염산

291) 잉키(インキ): 잉크(Ink)의 일본식 발음. 내용상 페인트를 의미하는 것으로 보인다.(역자)

가 올려놓고 그 위에다가 '텔레핀[292]' 기름(이것은 칠 파는 집에 있습니다.)을 바르고 그 위에다 흰 헝겊이나 또는 압지[293] 같은 것을 덮어 놓아서 그것으로 '텔레핀' 기름을 빨아올리게 한 후 벤젠 또는 휘발유를 발라서 말리면 빠지는 것이올시다.

◇ 새로운 빨래법

- 와이셔츠와 칼라는 이렇게 빱니다.-

서양 세탁(빨래)법을 말한다고 하면 그 범위가 매우 넓습니다. 그렇지만 이제 여기 쓰고자 하는 것은 우선 '와이셔츠'[294], '칼라', '커프스'[295] 등을 주장삼고 쓰는 것이올시다. 원래 이 세탁법은 좀 귀찮은 까닭에 서양세탁업자 즉 마전장이[296]에게 부탁해야 빠는 일이 많습니다만 조금만 익숙해지면 그다지 어려운 것이 아니올시다. 한두 번 하시다가 싫증을 내시지 말고 공부 들여서 몇 번 해보시면 어렵지 않게 훌륭하게 됩니다.

① 풀 빼는 법: 더운물을 큰 대접으로 하나에다가 소다 잿물

292) 텔레핀: 테레핀(turpentine). 소나무에서 얻는 무색의 정유(精油)로 의약품, 페인트·니스·래커 등의 도료 제조 원료, 유화의 용제 등으로 사용된다.
293) 압지(押紙/壓紙): 잉크나 먹물 따위로 쓴 것이 번지거나 묻어나지 아니하도록 위에서 눌러 물기를 빨아들이는 종이.
294) 원 표시: 와이샤쓰
295) 원 표시: 카우쓰
296) 마전장이: 피륙을 바래는 일을 직업으로 하는 사람

한 너더댓 돈쭝을 풀어가지고 그 물에다가 세탁할 것을 하룻밤 동안만 담가두시었다가 손으로 문질러 빠질 것 같으면 빳빳하던 풀은 다 빠지고 맙니다. 그것을 다시 물 너덧대접에다가 가루왜비누(분말석감(粉末石鹼))[297] 열한두 돈쭝을 타가지고 그 가운데에다 한 15분가량 담가서 짜내입니다. 그래서 그것을 맑은 물에 문질러 빨면 때가 말짱히 나갑니다. 그러나 너무 오래된 것은 이렇게만 해가지고는 빛이 잘 나지 않습니다만 이 아래 쓴 것과 같이 희게 하는 법을 쓰시면 눈같이 희어 집니다.

② 희게 하는 법: 일본사람의 잡화상에 가면 '사라시고(표백분(漂白粉))' 라는 것이 있습니다. 그것을 사다가 한 냥쭝[298]으로부터 냥반 쭝을 흰 헝겊에 싸가지고 자백이나 혹은 나무통(쇠로 만든 그릇은 안 됩니다. 질그릇이라든지 나무그릇이라야 합니다.)에 물을 큰 대접으로 3~5대접 부어가지고 그 물에 그 산 것을 넣어서 손으로 문지르시면 '사라시고' 의 덩어리는 하나도 없어지고 잘 풀어집니다. 그리하여 빨 것을 그에다가 한 10분가량 담가두었다가 건져내어 꼭 짜서 한 5~6분 동안 줄에 널어서 공기(바람)를 쐬어 다시 그 물에 담그시면 매우 희게 됩니다. 그것을 또 다시 꺼내 맑은 물에 헤어서 꼭 쥐어짜고 이번에는 그 다른 통에다 한 5대접 가량의 물을 붓고 유산(硫酸)[299]이나 염산(鹽酸)

297) 석감(石鹼): 때를 씻어 낼 때 쓰는 물건. 물에 녹으면 거품이 일며 보통 고급 지방산의 알칼리 금속염을 주성분으로 한다. 비누.
298) 냥쭝: 무게의 단위. 귀금속이나 한약재 따위의 무게를 잴 때 쓴다. 한 냥쭝은 한 냥쯤 되는 무게이나 흔히 한 냥의 무게로 쓰인다.

(양약국에 가면 살 수 있습니다.)을 조금 타서 그 가운데 12~13분가량 담가두었다가 꺼내어 맑은 물에 빠시면 희어집니다. 약 냄새 나지 아니할 때까지만 빠십시오. 그리고 그것을 더욱 희게 보이시려면 당총아[300]를 썩 옅게 타가지고 드릴 둥 말 둥하게 물을 들이시면 더욱 희게 보입니다. 다음에 풀을 먹입니다.

③ 풀을 먹이는 법: 풀은 다음에 써 놓은 대로 만듭니다. 우뭇가시 열냥쭝 백랍(白蠟)[301] 약 한 냥쭝 물을 두되 우뭇가시 대신으로 녹말가루를 쓰면 더욱 좋습니다. 그런데 그 분량은 물 두되에 두 냥쭝 좀 남짓하게 타 쓰십시오. 그리고 그 풀 만드는 법으로 말하면 처음에 물을 조금 쳐서 잘 개인 뒤에 더운물을 부어서 저으면 말갛게 들여다보이는 물이 됩니다. 그것을 솥이나 냄비에다 보통 풀 쑤듯이 저어가면서 쑵니다. 그것이 다 쑤어지면 아까 빨아놓았던 것을 먹이게 됩니다. 먹이는 법은 우선 잘 주물러서 골고루 먹게한 후 판판한 널쪽위에 펴놓고 손으로 구김살을 펴가면서 풀이 골고루 먹고 안 먹은 것을 살펴보아서 만일 먹은데가 있어서 들뜬 곳이 있으면 손에 풀을 찍어다가 또다시 문질러서 들뜬데 없이 판판하게 된 연후에 그것을 매달아 말려 다시 물

299) 유산(硫酸): 황산. 무색무취의 끈끈한 불휘발성 액체. 강한 산성으로, 금과 백금을 제외한 대부분의 금속을 녹인다. 유기물을 분해하고, 물에 섞으면 많은 열을 내면서 습기를 빨아들인다. 여러 가지 약품을 만드는 기초 원료로서 화학 공업에 널리 쓴다. 화학식은 H2SO4.

300) 의미 불명(역자)

301) 백랍(白蠟): 밀랍을 표백한 물질. 연고, 경고 따위의 기제(基劑)로 쓴다.

을 뽑어 축여서 착착 접어놓아두면 골고루 축여지게 됩니다. 다음에는 다리기만하면 훌륭하게 될 것이올시다.

④ 다리는 법: 인두나 다리미나 또는 양복다리미로 다리는 것이올시다. 우선 인두나 다리미 바닥을 정하게[302] 씻어가지고 불에 달리며 백랍을 약간 칠해서 또 녹이나 티를 흰 헝겊으로 잘 씻어 내인 후 축여 놓은 다림질거리를 반반히 펴 다리면 완전히 될 것이올시다.

그리고 '와이셔츠' 같은 것은 가슴이라든지 소맷부리 즉 '커프스' 같은 데에는 또 한 번 다리지 않으면 완전하다고 할 수 없습니다. 한 번 더 다림에는 또다시 우뭇가시 한 돈쭝 백랍 한 돈쭝을 섞어서 풀을 쑤어 고운 모시 헝겊 같은 것을 다리미에 덮어놓고 풀을 그 위에 칠해서 그 풀이 골고루 젖게 한 후 흰 헝겊을 적시어 그 위에 덮어서 이번에는 묻은 풀을 잘 묻혀내어 다리면 훌륭합니다.

다리미 달구는 정도는 다리미 잘해보신 분들은 대개 아실 것이니까 더 말하지 않습니다.

그리고 이것을 이렇게 적어 놓고 보시니까 몹시 복잡해 보입니다만 막상 해보면 그리 복잡하지 않습니다. 다 각각 바깥어른들의 입으실 것은 댁내 되는 우리 여자들의 손으로 해드리는 것이 정 두터운 가정이라고 할 것이며 살림하는 여편네[303]의 마땅히 해야만 할 일이라고 생각합니다.

\- 끝 -

302) 정(淨)하다: 맑고 깨끗하다. 조심스럽게 다루어 깨끗하고 온전하다.
303) 결혼한 여자를 낮잡아 이르는 말.

색상자

개성 호스톤여학교[304]는 그 너머 공립상업학교하고 이웃하여 있는데 상업학교 학생들이 풋볼을 찹네 하고는 일부러 호스톤 여학교로 차서 넘겨놓고는 "누님 누-님! 공 좀 넘겨주세요." 하고 애걸하듯 놀린다고 호스톤 학생들의 얼굴은 하교[305] 종만 치면 찡그리 것만 그 구지레한[306] 장난꾼들은 그것을 재미로 알고 하교 종 치기만 기다린다나? 딱한 남자들이지.

금년 봄에 서울 숙명여학교 2학년에 입학하신 방년 20살 되신 어머니 한 분, 금년에 2살 된 아드님 한 분 월사금은 한몫만 내어도 다니긴 두 분이 다니는데 아드님 것도 먹여야겠고 공부도 부지런히 해야겠고, 바깥양반은 바깥 볼일로 분주다사[307], 분주치 아니하기로 젖도 대신 먹일 수 없고 공부도 대신 하는 수 없고 그런 중에도 어머님의 1학기 성적은 몹시 훌륭하였다니 그야말로 치사할 일이야.

동아일보사 주최의 테니스 대회에 최후 승리를 얻은 진명여학교 선수 상 탄 이야기이다. 그중에 시계 탄 것은 대장조 후위, 문상숙 양이 갖고 구두는 전위, 김가매 양의 차지가 되었다니. 그런데 구두가 발에 맞아야 신지………. 신을 수 없고 남을

---

304) 호스톤 여자 기숙학교. 개성에 위치해 있었다.
305) 원 표기: 하학(下學)
306) 구지레하다: 상태나 언행 따위가 더럽고 지저분하다.
307) 분주-다사(奔走多事): 몹시 바쁘고 일이 많음

주자니 애쓴 기념물이오, 하는 수없이 들고만 다니다가 잘 두었나요.

진명선수 이야기가 나왔으니 마저 해버리지요. 대장 조후위 문상숙 양은 이번 하기 방학에 고향 김천(金泉)에 내려가 있을 때 그곳 남자 한 사람을 전위로 세우고 그곳 식산은행 지점팀과 싸워서 힘도 안들이고 내리 8패를 모조리 무찔러 은행팀 남자들의 얼굴을 홍당무로 만들었다나. 그 이야기 듣는 사람마다 "어이구!" 어이구.

함태진 씨와 결혼한 정계원(鄭德元) 신여사는 신혼여행 겸 피서차로 두 분이 오붓하게 석왕사에 가서 들어가기까지는 오붓하였으나, 가서 보니 허영숙 씨 내외 김경자 씨 내외 또 한 패, 달디 단 패가 세 패나 미리 와서 있더라지요. 신참의 패까지 네 패가 한태 어울려서 밤이면 팔뚝 맞기 딱지치기에 재미를 부치셨대요.

간이(簡易)한 천문(天文) 보는 법: 하동인(河東人)

이것은 천문학자 아니고 누구든지 알아보는 천문법입니다. 일본대판측후소장[308]이 말한 것이라는데 일본과 기후가 다르기는 합니다만 우리 조선서 항용[309]하는 것과 대개 같은 점이 많기에 번역합니다.

일 년 중 6-7월 장마통에는 고기압(高氣壓)과 저기압(低氣壓)이 너무 황망하게 오락가락하는 까닭에 전문으로 하는 사람들도 가끔 가끔 어그러지는 때가 있습니다. 그렇지만 천문을 일삼지 않으시는 분으로서 대강 보려 하신다면 그다지 어려울 것도 없습니다.

항용 말하기를 서풍이 불면 날이 갠다고 하는데 그는 과연 그러합니다. 서쪽바람이 부는 날은 청명한 날입니다. 그렇지만 동북풍으로서 구름이 서편으로 모여 들거든 장독을 모두 덮어 놓으십시오. 그리고 훗훗한 남풍이 불어도 비가 머지않아 올 줄로 믿으십시오. 그런데 그 중 간단하게 알아보는 법은 해가 솟을 때나 떨어질 때에 동편 하늘이 밝게 타오르는 것 같거든 나들이 하실 준비는 그만 접어두시는 것이 좋을 것입니다.

전날 저녁 때에 저녁놀이 섰었거든 한동안 청명한 날이 계속될 줄로 생각하시더라도 관계치 아니합니다. 달이 달무리를 하면 비가 쉬 오는 것과 같이 해가 햇무리를 하면 비가 올 전조입니다. 그렇지만 햇무리는 사람의 눈에 보이는 햇무리와 눈에 안 보이는 햇무리가 있습니다. 그러나 해를 덮은 어른어른하는

308) 일본오사카측후소(日本大阪測候所): 현 오사카 관구 기상대
309) 항용: 흔히

광채가 나며 나지막하게 운모갈이 엷은 권층운(卷層雲)[310]이라 고 하는 구름이 나타나면 하루가 다 못가서 비가 올 것입니다. 동북풍이 불거든 나들이 가지 마시고 아침 하늘이 붉거든 빨래 시작 못하실 법으로 아주 작정을 해놓으시면 뜻밖에 비를 만나 시고 걱정거리를 장만하시지 않게 될 것이올시다. 그리고 이밖에 구름 빛을 보아 알아내는 법이 있습니다. 많은 앞에 말씀한 방법이 그 중 믿음성 있는 완전한 법이올시다.

310) 권층운(卷層雲): 온 하늘을 뒤덮은 엷고 흰 면사포 모양의 구름. 높이 5~13km 사이에 나타나며 햇무리, 달무리를 잘 일으킨다. 면사포구름, 털층구름, 햇무리구름.

지상(誌上)[311] 코치. 테니스 연습법: W생

우선 준비하실 것을

귀찮은 더위도 이제는 지나가고 운동하기 좋은 때가 돌아왔습니다. 한여름동안 모아두셨던 원기를 운동 경기로 하여금 여봐라 하는 듯이 발군할 때가 돌아왔습니다. 여러분이 다 각각 가을 연습을 시작하실 때가 돌아왔습니다. 이제 나는 테니스 연습법 대강을 소개하려고 합니다.

1 준비

○ 코트

코트에는 여러 가지 종류가 있습니다만 그 중 많은 것은 백로로 만든 코트가 그 중 많습니다. 땅을 한자 가량쯤 파가지고 그 바닥에 조각돌을 깐 후 그물에다 백로를 펴서 물이 스며들어가게 하고 단단히 다집니다. 그 위에다 간국[312](鹽水)을 끼얹어서 둥근 돌을 굴려서 다집니다. 그래서 공의 바운스[313]가 잘 정확할 일, 물이 잘 스밀 일, 일광이 경기를 방해하지 않는 곳에 있을 일, 바람이 몹시 채이지 않게 할 일, 코트 주위가 널찍하게 남은 땅이 많을 일 등이 연습을 시작하기 전에 잘 보아야 하겠습니다. 우선 코트의 길이가 13간(間)[314]이요 폭 6간인 것과 서비스 코트가 바른 위치에 놓이고 그 거리가 3간반, 폭이

311) 지상(誌上): 잡지(雜誌)의 지면(紙面) 위. 기사(記事) 면(面).
312) 간국: 짠맛이 우러난 국물
313) 원 표기: 빠운
314) 간(間): 길이의 단위. 한 간은 여섯 자로, 1.81818미터에 해당한다.

4간반인 것과 네트의 높이가 3척(尺)[315] 3촌(寸)[316] 5분(分)[317]으로 놓았는가를 조사해 보지 않아서는 안되겠습니다. 얼른 생각하기에는 우스운 것 같으나 실상은 매우 긴요한 것이올시다.

○ 볼

다음에 주의하실 것은 볼입니다. 볼을 가려 쓰시는 데는 매우 주의하셔야 됩니다. 연전에 일본서 고무 직공들의 태업(怠業)[318]이 있은 이후로는 좋은 볼 얻기가 극히 어렵습니다. 그러나 대개 무게는 9돈[319]이요 크기는 6척9분[320](이것은 규칙에 의한 것)이요. 고무가 너무 두껍든지 혹은 너무 얇지 않은 것으로 공기를 너무 잔뜩 넣지 않은 것, 그렇다고 공기가 너무 적게 들어서 잘 뛰어오르지 않는 것은 못씁니다. 그리고 그 중 주의하실 것은 고무가 한 편은 두껍고 한 편은 얇은 것입니다. 그런 것은 쳐 보낼 공이 커브가 되어서 보내려고 한곳으로 잘 가지 않습니다. 어떻든지 볼 선택에 대해서는 경험 많으신 분에게 정확한 표준을 실물을 가지고 배우시는 것이 그 중 필요

---

315) 척(尺): 길이의 단위. 1척은 한 치의 열 배로 약 30.3cm에 해당한다.

316) 촌(寸): 길이의 단위. 1촌은 한 자의 10분의 1 또는 약 3.03cm에 해당한다.

317) 분(分): 길이의 단위. 한 푼은 한 치의 10분의 1로, 약 0.3cm에 해당한다. 3척 3촌 3분은 약 100cm이다.

318) 태업(怠業): 노동 쟁의 행위의 하나. 겉으로는 일을 하지만 의도적으로 일을 게을리함으로써 사용자에게 손해를 주는 방법이다

319) 돈: 무게의 단위. 귀금속이나 한약재 따위의 무게를 잴 때 쓴다. 한 돈은 한 냥의 10분의 1, 한 푼의 열 배로 3.75그램에 해당한다. 9돈은 약 34g이다.

320) 약 185cm

할 것입니다. 원래 대항 경기를 하려면 두 편 팀이 서로 의논해서 정하는 것이니까 어떻게 한 공이든지 서로 좋다고 하면 그것을 사용하는 것이 옳습니다만 하여간 자기가 가지고 하던 연습 볼과 다른 볼을 가지고 대항 경쟁을 한다면 누구나 다 자기 힘을 충분히 나타낼 수가 없습니다. 그러나 연습하실 때에는 규칙에 맞는 볼을 쓰지 않아서는 안될 것이올시다.

○ 라켓

라켓은 각각 사람에 따라 다릅니다. 누구든지 자기 손에 익은 것, 가령 무게라든지 대소(大小)라든지로부터 모든 됨됨이가 자기 손에 맞는 것이 있어서 다 각각 다를 것이올시다만 이에는 얽이(깟트)[321]에 대하여 잠깐[322] 말씀하겠습니다. 얽이의 얽은 대중은 테니스 라켓은 얽이를 손으로 눌러보아서 조금 무른 것, 다시 말하자면 얽이가 약간 내밀리는 것이 좋습니다. 너무 팽팽해도 못쓰며 너무 늘어져도 못씁니다. 적당하던 것도 오랫동안 쓰면 늘어집니다. 그것을 갈아 메이면 대개는 너무 팽팽해지는 일이 많습니다. 너무 팽팽한 때에는 될 수 있는 대로 손으로 가끔가끔 내밀어서 늘어지게 하든지 혹은 무거운 것을 올려놓아 늘어지게 하는 것이 좋습니다.

---

321) 원표기: 얼키. 얽이를 소리 나는 대로 쓴 것으로 보인다. 테니스 라켓의 그물망, 스트링을 의미하는 것으로 보인다.(역자)
322) 원 표기: 잠간(暫間)

○ 코트를 햇길들일[323]

이것은 테니스 하시는 분으로서는 마땅히 하지 않으면 안 될 것이올시다. 코트라든지 또는 라켓 같은 기구를 햇길들일 일이올시다. 코트는 연습 전후에 여럿이 힘을 합해서 땅 다지는 돌 같은 것을 굴려서 코트의 힘을 없게 할 것이며 여름 같은 때는 땅이 너무 마르는 일이 많으니 물 같은 것을 뿌려서 적시기도 해서 아무쪼록 연습에 장애를 없이 하고 연습을 해야만 합니다. 라인 같은 것이라도 귀찮다고 희미한 것을 그대로 연습해서는 안 될 것이올시다. 그리고 라켓으로 말하면 여름 장마통 같은 때는 습해 '겟트'를 두기에 매우 좋지 못합니다. 그 중에 얽이 같은 것은 습한 것이 극히 좋지 못하니까 비오는 날은 당연 라켓 집에 넣어두셔야 됩니다. 그리고 집에 넣는 것은 물론입니다만 그것을 신문지 같은 것으로 또 한 번 잘 싸서 넣어두면 더욱 좋을 줄로 생각합니다. 이런 우스운 것이 주의를 하시는 것이 얼른 생각하기에는 우스운 것 같습니다만 실상은 여러분의 기술을 향상[324]케 하는 큰 원인이 되는 것입니다.

○ 운동복

이것은 별로 여기서는 말할 여지가 없습니다만 바꿔 입는데 대해서 말씀하겠습니다. 연습을 할 때에는 누구나 다 땀을 쭉 흘려서 옷을 펑-하게 적셔놓습니다. 그렇게 젖은 것을 그대로 입으시면 극히 해로운 것입니다. 그것이 류머티즘[325]이라는 병

---

323) 원 표기: 햇길일. 햇(의미: 올해, 얼마되지 않은)+길들이다의 의미로 추측된다.(역자)

324) 원 표기: 상진(上進). 일본어로 (물가 따위가) 계속 오름, (지위·정도 따위가) 향상함의 뜻이다.

을 이끄는 일이 비일비재입니다. 연습을 한 뒤에는 땀을 말끔히[326] 씻어내고 조금 두꺼운 듯한 옷을 입지 않아서는 안 됩니다. 몸을 갑자기 차게 하는 것은 여러분께서도 대개 좋지 않은 것으로 아실 것은 물론입니다만 더욱이 테니스 선수들은 어깨를 차게 하지 않아야 합니다. 이런 것에 대한 주의를 게을리하다가 하루에 늘 기술이 열흘을 끈다면 얼마나 원통한 일이겠습니까? 그리고 더욱이 날이 조금 추운 때에는 한때의 부주의로 감기(感氣) 들리기가 첩경[327] 쉽습니다.

○ 신발

다음에는 신발에 대한 말씀이니 신발은 헝겊 구두로 바닥에는 고무를 묻힌 것으로 될 수 있는 대로 가벼운 것이 좋습니다. 뒷굽 달린 것은 아주 좋지 못합니다. 가볍고 바닥이 얇은 구두는 아무리해도 발이 아프지만 만약 발이 아플 것 같으면 두꺼운 양말(洋襪)을 신으면 관계(關係)치 않습니다. 동작을 민첩(敏捷)하게 하려면 가볍고[328] 부드러운 것이 가장 좋습니다.

다음에는 이 기사의 본편, 다시 말하자면 공치는 법 즉 지상(紙上) 코치를 기록해야 할 터인 바, 지면 관계로 내달 호에 올리겠습니다. 그로부터 다달이 계속(繼續)해 내야겠습니다.

-계속(繼續)-

---

325) 원 표기: 루마지쓰
326) 원 표기: 말정히
327) 첩경: 틀림없이 흔하거나 쉽게
328) 원 표기: 가장고

부처(夫妻)간의 문답: 나정월(羅晶月, 나혜석)[329]

오후 4시쯤 되어서 남편은 사무를 마치고 자기 집으로 돌아온다. 마침 큰방에 부인 잡지를 보고 있던 아내의 귀에 그 뚜벅뚜벅 들어오는 구두 소리가 염려 없이 자기 남편의 발자취인 것을 번개같이 감각하자 즉시 뛰어나와 허등지등 숨을 곳을 찾다가 으슥한 목욕실(沐浴室)로 들어가며 집안사람에게 손짓을 간단히 하여 암시(暗示)를 표했다. 남편은 급한 성미에 구두를 벗고 연방 모자를 벗으면서 큰 방으로 들어서며 휘휘 둘러본다.

남편: 삼재야. 아씨 어디 가셨니?
삼재: 네! 몰라요. 지금 계시더니.

어물어물하며 얼굴을 감추고 빙긋빙긋 웃는다.

남편: 여보, 마누라. 주인 어디 갑니까?
마누라: 네…….

어쩔지 몰라 애를 쓴다.

---

329) 나정월(羅晶月): 나혜석. 일제강점기 화가. 진명여자고등보통학교를 졸업하고 일본으로 유학을 다녀와 정신여학교 미술 교사를 지냈다. 3·1운동에 참가하여 5개월 간 옥고를 치른 후 화가로서 다양한 활동을 했다. 1927년에는 일본 정부 외교관인 남편 김우영과 함께 세계 일주 여행에 올랐다. 1934년 잡지 삼천리에 '이혼고백서'를 발표해 사회적으로 논란이 되었다.

남편: 여보. 아씨 어디 가셨소? 어디 가신 답니까…….
마누라: 네…….
남편: 어디 갔나. (혼잣말로)

양복을 벗다 말고 뒤뜰로 내려가 신발을 살펴본다. '아무대도 아니 갔구만.' 혼잣말로 속으로 변소(便所)에 있나보다 하였다. 다시 양복을 다 벗고 옷을 갈아입었다. 그래도 아니 나오는 것을 보고 쫓아가 변소문을 열어보았다. 아무도 없다. 그 발로 곧 응접실로 갔다. 거기도 없다. 뒷방에 가 보아도 없다. 다시 마누라와 삼재있는 방으로 가보았으나 거기도 없고 두 사람은 고개를 숙이고 웃음을 참는 것이 흘깃 보인다. 어디 숨어있는 것이 확실하게 알아졌다. 동시에 어디까지 찾아내어 보고 싶다. 벽장 다락을 열고 그 속을 휘둘러보았으나 아무것도 없다. 돌아서서 나오다가 문득 생각이 나서 목욕실을 열어보았다. 아내는 딱 하고 툭 튀어나왔다. 깜짝 놀라 뒤로 멈칫한다.

부인: 참 열심히시오. 내가 없으니 서어하지[330]? 응?
남편: 서어하기는. 무엇이 서어해.
부인: 그러면 왜 그리 나를 찾으려고 애를 썼소? 응? 얼른 그대 답을 해요! 할 말 없지!
남편: 숨은 것이 괘씸하니까 그렇지.
부인: 처음부터 숨은 줄은 모르지 않았소?
남편: 왜 몰라. 몰랐으면 찾아냈을까!
부인: 알았으면 왜 어디 갔느냐고 그렇게 몇 번씩이나 몰랐

330) 서어하다: 익숙하지 아니하여 서름서름하다

을려고. 말이 무엇이오. 내가 없으면 서어한 것이 분명하지 마치 내가 어렸을 때 학교에서 돌아오면 문간에 들어서서 어머니 불러서 그 어머니가 보이지 아니하든지 "왜" 하는 대답이 들리지 않으면 맥이 확 풀리고 울 듯싶었으며 도로 그 집을 나가고 싶은 생각이 나고 오도 가도 못하게 얼이 빠져 딱 서버린 채로 얼마라도 섰을 것 같았던 그러한 것이겠지.

남편: 아따 자존심은 여전하군. 그것은 어머니 자식 사이니까 그랬지.

부인: 아니 지금 나의 어머니는 당신이오. 지금 당신의 어머니는 나니까 더도 덜도 아니오. 꼭 그만치 그랬었을 것이오.

남편: 어째서?

부인: 그것은 내가 심리학 박사가 아닌데 알 수가 있소. 자기 마음을 거짓 없이 쏟아놓고 보는 것이 제일 가깝고 쉬운 해석이 되겠지. 하여간 서어했을 것은 꼭 사실이지요.

남편: 허허. 고만둡시다.

부인: 질 듯하니까.

남편: 이기기 싫어 그만두잔 말이지.

조금 있다가 저녁상이 들어온다. 아내는 모르는체하고 딴방으로 가서 풍금을 치고 있다. 거물거물 넘어가는 햇볕을 서슬게 하는 음조가 은은히 새어 들어온다. 남편은 잠깐 이 소리에 취하여 천장을 쳐다보고 드러누웠다가 벌떡 일어나 식탁 앞으로 앉으며 "여보! 여보!" 외마디 소리로 몇 번 불렀다. 대답이 없다. "여보 밥 먹읍시다." 또 불렀으나 아무대답도 들리지 않는다. 할 수 없이 일어서서 그 방으로 갔다. 아내의 어깨를 치며 "여보 나중에 하고 밥 먹읍시다." 그제서야 뒤를 돌아보며 "잡수시오. 나는 나중에 먹을 것이니"

남편: 밥맛이 있어야지

아내는 그 말에 웃으며 일어서 식탁으로 향한다. 겸상하여 먹으면서

부인: 그것 봐. 내가 없으면 밥맛조차 없지 않소?
남편: 그대가 밥맛이 없을까봐 그랬지.
부인: 아니 누구든지 자기 생각부터 한 후에 남의 생각을 하는 법이야. 그렇지 맛이 없을 것이지 마치 내가 어렸을 때 상 귀퉁이에 앉아서 어머니 물찌게기 얻어먹을 때라도 그것은 꿀보다도 달고 깨소금보다도 고소했으니까. 내가 옆에 있으면 꼭 그런 맛이 나겠지.
남편: 그러소. 그러니 요것도 좀 먹어보소.

물 만 밥 한 숟가락 아내의 밥에다 놓는다.

부인: 당신만 그렇단 말이오. 나는 아니 그렇고.
남편: 이게 무슨 소리오. 금세 그대 입으로 그대의 어머니는 나라고 하였지! 이제 대답할 말이 없겠어.

부인: 왜 없어!

남편: 무엇이오?

부인: 지금 말해도 알아듣지 못할 테니까 이다음에 하지.

남편: 아이고 요런.

조금 이따가 저녁 이부자리 펼 때가 되었다. 남편의 자리는 침실인 뒷방에다 펴고 아내의 자리는 서재실인 앞방에다 폈다. 전등을 켜놓고 아내는 자리 속에 들어가 신문을 보고 있다. 뒷방으로 "여보 여보" 부르는 소리가 들리나 못 들은 체한다. "여보 이리좀 오시오." 한다. 역시 못 들은 체한다. 조금 이따가 남편의 오는 소리가 들린다. 아내는 불현듯 이불을 뒤집어쓰고 코를 쿨쿨 곤다.

"요런 금세 드러누워 무슨 잠이야." 이불을 벗기고 목에다 손을 대어 간질인다. "칵칵 하하하 아이고 간지러워라." 아내는 깔깔 웃으며 이리 앉았다.

남편: 여보 그러지 말고 저 방으로 이부자리 가지고 갑시다.

부인: 누가 어째서. 혼자 가서 주무시구려.

남편: 아 어찌 쓸쓸한지 몰라서 그래.

부인: 오늘 밤이 그렇단 말이오?

남편: 아니- 언제든지 나 혼자 있을 밤은 다 그렇단 말이지.

부인: 그러면 역시 내가 옆에 있어야만 쓸쓸하지 않단 말이오?

남편: 그건 그렇게 미투리 꼬투리 캘 것 무엇 있소!

부인: 아니 나는 안 갈 터이오. 그 대답을 듣지 않고는 아니

갈 터이야.

남편: 아따, 그러면 그렇다고 두지.

부인: 겨우 이렇게 억지로 행여나 가겠다.

돌아 드러누우려고 든다.

남편: 아니 아니 그래그래 그래서 그랬어.

못 드러눕게 하며

부인: 또 그러면 속았단 말이지.

혼잣말로 하며 일어선다. 남편은 자리를 말아들고 뒷방을 향하여 앞서간다.

남편: 자 이렇게 한방에 있어야 방안이 훈훈하지.

부인: 혼자 있으면 그렇게 쓸쓸하단 말이오. 마치 내가 어렸을 때 우리 어머니 발목에서 자노라면 어머니 살이 닿으면 시원하였고 어머니 손으로 내 얼굴을 쓰다듬으면 온 살이 찌르르 하도록 서늘한 감각을 얻게 되었고 방안은 마치 덥지도 춥지도 않은 첫 봄날같이 따뜻하였었지. 그래서 온 세상이 평화한 듯 그 속에 쌓여있는 것 같았었지. 꼭 그렇단 말이지?

남편: 그래. 그러니까 어서 그대의 어머니인 내 품으로 오란 말이야!

부인: 누가 내 말인감 당신 말이지.

남편: 글쎄. 그대의 입으로 그대의 어머니는 나요. 내 어머니는 그대라고 아니 그랬소?

부인: 글쎄. 그러니까 당신이 그렇단 말이지?

남편: 자 그만두고 편안히 드러누워서 여행에서 얻은 재미있는 이야기나 좀 하구려.

부인: 먼저 할 말이 있고 나중에 할 말이 있으니까 그 말은 차차하고.

남편: 그래, 무슨 말을 먼저 한단 말이오.

부인: 그러니까 말이오. 당신에게는 나라는 것이 없어서는 살 수 없단 말 아니요.

남편: 왜, 살 수 없어 다른 여자는 없나.

부인: 그러면 나라고 할 것이 아니라 여자 없이는 시말하면 아내 없이는.

남편: 없으면 없는 대로 그대로 살지.

부인: 그러면 그 서어하고 맛없고 쓸쓸한 것을 어찌하려오?

남편: 참고 잊어버리지.

부인: 그러면 왜 참고 잊어버리지 않고 나 같은 아내를 얻었소.

남편: 너 같은 요물이 있어서 나를 못살게 구니까 그렇지.

부인: 자- 저 말 보시오. 참고 이길 수만 있으면 요물 아니라 비록 천병만마의 악마 떼가 몰아와서 끌어내기로 끌릴 것이 무엇이오. 그렇게 억지 말을 말고서 일찍이 내게 항복하시오.

남편: 무엇을.

부인: 글쎄, 나 없이는 살 수 없겠다는 말이지.

남편: 그러면 그대는?

부인: 글쎄 내가 묻는 말을 먼저 대답해요.

남편: 그것도 안 되었네. 그대부터 대답해야지!

부인: 그러기만 해봐. 오늘보다 몇백 배 혼을 아니 내나.

남편: 누구를.

부인: 너를!

남편: 네가 무엇이어?

부인: 네가 너지 무엇이어.

남편: 미상불 그대 없이는 과연 집안이 쓸쓸하여 못 견디겠어. 집안에 들어서기가 싫고 도무지 밥맛을 잃겠고. 또 잠이 와야지.

부인: 그래 그렇게 공손히 항복을 하면 될 것 아니요.

남편: 아이고 요런 깍쟁이!

부인: 뭐야?

남편: 어쩌면 그렇게 자존심이 많은고.

부인: 자존심이 아니라 사실이니까 그렇지. 실상 자존심 없는 사람이 어디 있을라고.

남편: 자- 그만두고 여행담이나 좀 하구려.

부인: 그래 하지. 항복받은 보수로.

남편: 항복은 누가 항복을 해.

부인: 아니- 그러면 정직한 말 한 값으로.

남편: 언제는 내가 거짓말했나.

부인: 그러게 말이지. 오늘처럼 꼭 참말만 하고 삽시다. 여보시오. 참말 하는 끝에 한말 더 하시오.

남편: 무엇을.

부인: 아까 당신이 "서어하고 맛없고 쓸쓸한 것을 능히 참을 수 있었으나 너 같은 요물이 있어서 나를 못살게 구니까." 하였지?

남편: 그래. 어쨌단 말이오?

부인: 그러면 말이오. 당신이 지금 원만하게 살아가는 데는 처(妻)라는 그 여성이 필요한 것이 아니라 여성이요, 또 처까지 겸비한 나라야만 할 것이구려. 다른 여자 다 쓸데없고 꼭 나라야만 했었단 말이지? 응?

남편: 모르겠소. 다 잊어버려서.

빙긋이 웃으며 눈을 감아버린다.

부인: (얼굴을 만지며) 여보. 혼인 전에 재미있게 지내던 일은 그만두고라도 지금 실제로 살아가는 생활상에 말이요.

남편: 글쎄 몰라.

또 웃는다.

부인: 이것 보아. 금세 또 거짓말을 하네.

남편: 그러면 지금 당하야 그렇지 않다고 하면 어쩌나.

부인: 어쩌는 것은 나중 문제요. 그렇고 안 그런 것은 알고 살아가야지.

남편: 알면 무엇해.

부인: 그러려니 하고 안심되지.

남편: 지금까지 그것을 모르고 살아왔소?

부인: 알기는 알지만 확실치가 못해서.

남편: 어떻게 알았소.

부인: 당신이 내게 하는 것을 보면 알지.

남편: 그래 어떤 편으로 알았단 말이오.

부인: 당신에게는 나 아니고는 아니 되겠다고.

남편: 무엇을 보고.

부인: 그것을 어떻게 다 말을 하겠소. 제일 중대한 내 비밀인데.

남편: 그러면 그것까지 알았으면 그만이지 또 무엇을 알려고.

부인: 그러나 그것은 다 짐작에 지나지 않을 듯한 의심이 있으니까 당신에게 확실한 대답을 듣고 싶어서.

남편: 그것은 내가 죽을 때 말하지.

부인: 죽은 후에 혼자 알고 있으면 무엇하나.

남편: 그러나 이 역시 내게 제일 중대한 비밀이니까 아마 말 아니하는 것이 말하여버리는 것 보다 더 큰 힘을 가지고 있을는지 모르지.

부인: 무슨 힘?

남편: 아따, 바짝 들이미네. 알고 싶소? 사랑의 힘 말이지.

부인: 그만하면 다 알았소이다.

남편: 잘 알다가는 손 보리다.

부인: 손 조금 보면 이익은 더 많겠지.

남편: 쓸데없는 농담 그만두고 이제 하얼빈 보고 온 이야기 좀 하구려.

다 각각 자리에 누워 기다리고 있는 듯한 전등을 향하여 이야기를 시작한다.

부인: 본 것도 많고 감상도 많으니까 어떤 말을 먼저 하여야 좋을지 모르겠소. 그런데 제일 먼저 당신에게 물어볼 말이 있어요.

남편: 또 무엇을!

부인: 만일 여기 어느 여자가 이번에 나와 같이 남의 엄마로서 가정을 떠나 한 달 동안이나 여행을 하는 자가 있다 하면 당신은 그 여자를 보고 무엇이라고 비평을 하시겠소?

남편: 모르지 그것은. 그 사람보고 할 말이지 쓸데없이 쏘다니는 여자도 있을 것이오. 또 불가불 다녀야만 할 여자도 있을 것이니까.

부인: 아니, 내가 묻기를 이상스럽게 물어서 그런 말이 아니라 말하자면 즉 그 여자가 그만치 개성이 강하다고 하겠소. 그렇지 않으면 그 남편이 그만치 관후하다[331]고 하겠소?

남편: 왜? 그대가 하도 자유스럽게 다니니까 어떤 고마운 사람이 내게 혹 동정을 하든가 내가 좋은 사람이라고.

부인: 아니 글쎄 그런 일은 없었지만 그와 비슷한 일이 있어서 말이에요. 당신 알다시피 내가 처녀 시대 즉 학생 시대나 지금 처(妻) 되고 엄마 된 후까지의 나의 개성상으로는 아무 변함이 없이 한시라도 나라는 것을 잊

331) 관후하다: 마음이 너그럽고 후덕하다

어보고 살아온 적이 없었으며 따라서 나라는 것을 새롭게 항상스럽게 살릴 수 있으면 있도록 적은 힘이나마 노력을 계속하여온 것이 아니오. 당신도 아마 나를 사랑한다하면 이런 점이 나에게는 없지 못할 장처(長處)[332]인줄 알아요. 그리함으로 옛날이나 지금이나 언제든지 생활 목록이 마치 막다른 골목같이 되면 무엇인지 모르게 새것을 얻고 싶어서 날뛰는 동안에 제힘으로 여비 만들 준비도 나서고 또 우연하게 다른 세계를 구경하게 되는 것 아니오. 그럴 적마다 나는 조금씩 조금씩 자라가는 듯싶다고 늘 말하지 않았어요? 그런데 세상 사람들을 보시오. 아무렇지도 않은 나를 처녀 시대라 보고 어쩌니 어쩌니 갖은 비난을 다하더니 혼인을 하니까 무슨 큰 승리나 한 듯이 여자라는 것은 그렇게 시집가면 그만이지 하고 비웃고 고만 마음을 턱 놓아들 버립디다. 나야 변할 리 있겠소. 내 세계가 더 넓어질 뿐이오. 저희들 꼴을 내게 들킬 뿐이지. 이번 여행일도 말이요. 당신이 밤이면 그만 자라고 애걸하다시피 여행 전 며칠 저녁을 두고 새벽 두시, 세시까지 앉아서 바느질, 빨래 정돈하노라고 하였고 그 외 가사에 대하여서라도 심지어 하인들의 월급까지 다 마련해 놓아 나 없을 동안에 급한 일 외에는 별로 불편한 일 없이 하여놓고 즉 한 달이나 두 달 동안 할 일을 4-5일간에 다 해놓고 그 남은 시간과 남는 금전으로 나와 내 남편의 생활을 새롭게 하기 위하여 자식

332) 장처(長處): 좋거나 잘하거나 긍정적인 점. 장점.

(子息)의 교육을 남보다 의미 있게 하기 위하여 한 가정에 그리웠었고 아껴줄 만한 정을 펼치기 위하여 여행을 실행하기까지 얼마나 부지런하였었고 결심이 있었는지 짐작할 것 아니요. 그런데 이런 원통하고 분한 일이 또 어디 있겠소. 열 사람이면 열 사람이 남녀를 물론하고 다-나라는 본물(本物)은 집어치우고 "그이 남편은 퍽도 너그럽고 착하시고 이해를 잘해주시는 어른인가 보오. 그 아내를 저와 같이 자유롭게 여행하도록 허락을 하니." 하는구려.

남편: 그건 참 옳은 말이지 여자가 무슨 힘이 있나. 남자가 하기에 달렸지.

부인: 여보 제발 마시오. 다른 말은 다 농담으로 하더라도 내가 지금 말하는 것만은 진정으로 참말만 합시다. 곧 내 피가 지글지글 끓는 듯싶소.

남편: 그래서 이 신경과민아.

부인: 아니오 나는. 신경과민자도 아니오. 신경 쇠약자도 아니오. 세상 사람들은 너무나 여자 그 자체를 불문곡직(不問曲直)[333]하고 부인하고 멸시하는 것이 너무나 기가 막혀서 어떠한 때는 불 일 듯 반감이 일어나다가도 반감을 먹는 내가 아까워서 픽 웃어버리는 일이 많지요.

남편: 부인 일신이라니 부인으로 하여 남편이 칭찬을 좀 듣기로 무슨 그다지 분할 것이 무엇 있소.

부인: 저것 좀 보시오. 당신까지도 내 마음을 알아주지 못하

333) 불문곡직(不問曲直): 옳고 그름을 따지지 아니함

는구려.

비참한 빛을 띄운다.

남편: 아니 아니, 내 잘못했소. 내가 모를 리가 있겠소. 그것을 다 미리 알았기 때문에 그이와 같은 여자는 다시없을 듯 시피 생각하고 끔찍한 구박을 맞아가며 꼭 사랑하고부터 왔지.

부인: 고맙소이다. 세상 사람이 다 몰라주면 어떻단 말이요. 당신 하나 알아주면 그만이지. 아니 당신까지도 몰라주면 어떻단 말이오. 나 혼자 나를 알았으면 그만이지.

남편: 여보 너무 비관을 하시는구려.

부인: 아니 비관이 아니라 그렇단 말이지요. 그렇게도 알뜰히 여자는 남자의 부속물로만 꼭 알아야지만 시원할 것이 무엇 있느냔 말이에요. 저희들이 그렇게 하나만 생각하고 둘도 알지 못하면서 언필칭 아무렇지도 않은 여자만 가지고 의지가 약하니 한번 시집이란 그물에 잡히면 그만이니 하지 않소. 물론 한 가정의 주부가 되고 보면 독신 시대와 같이 자유스럽지 못할 것이오. 그러나 그것만 보고 '약하다.', '그만이다.' 하는 것은 우리 생활 내용을 너무 헐겁게 보는 것이겠지요. 그네들이 그만치 침착해진 내면에는 얼마나 위대한 힘이 자라가는지 그대들이 어찌 알겠소.

남편: 왜 몰라. 나는 다 안다나. 알기 때문에 언제든지 절대의 희망과 자유를 그대에게 허락하여 왔지.

부인: 그게 무슨 소리요. 자유라든지 해방이라든지 평등이란 것을 누가 허락을 할 권리가 있단 말이요. 또 그 제한을 받을 천치가 어디 있겠소. 자유와 평등과 해방은 다 제각기 가진 것으로 제각기 하고 싶으면 하고 말고 싶으면 마는 것인 줄 나는 아는데요.

남편: 그러면 여자가 아무리 무엇을 하고 싶다든지 외출을 하고 싶다더라도 그 남편이 절대로 즐기지 아니하여 못하게 하면 무슨 별 수 있겠소. 못하고 마는 것이지.

부인: 그거야 아내뿐이겠소. 남편도 일반이지. 누구나 아니하여도 관계치 않을 것 도리어 해로울 것을 하려 들라고 하는 데는 그보다 더 나은 자가 옆에 있어서 충고하는 것이지 또 그것을 참작하여 중지하는 것이지. 무슨 그다지 자유나 평등이나 해방까지 들어갈 것 무엇이겠소.

남편: 아니 그러면 불가불 해야 할 일을 남편이 이해를 해주지 못한다면 어떻게 하나.

- 미완(未完)-

선례(미정고)[334]: 명순(김명순, 金明淳)[335]

8월 오후의 하늘은 구름 없이 개었다.

산들바람은 빙 도는 기등 담 테두리에 포플러 잎들 사이로 솔솔 새어 운동장 위에 해뜩해뜩[336]한 모퉁이 위에 동글동글한 빛 그림자와 잎 그림자를 아래 아롱 뛰노닌다.

그것이 마치 학교 운동장 안의 석경[337]인 고로 학교 생도들이 방학 동안에 무료함을 이기지 못해서 선생 없는 학교 뜰에 모여와서 하염없이 고요함과 외로움 가운데 남 보지 않을 새 뛈뛰기로 무시무시한 기분을 감추려는 것과 같다.

여기 이르러 자연(自然)은 인생(人生)에게 무엇을 늘 말하려는 듯 하나 사람은 벌써 나이 먹은 넉살을 가지기 때문에 자연 그에게는 아무 비밀도 가르쳐달라고 귀를 빌리지 않게 되었다.

여기 시작된 이야기는 사람들끼리 모여 앉아 서로 서로 감추어두었던 이야기를 말하기로 결정된 재미스러운 일이다.

평평한 운동장 한편에 몇 층 돌구름다리로 지대를 높인 이 빈 학교의 사무실에서는 때때로 남자와 여자의 어박구는 웃음소리가 뒤섞여서 바람결에 전해 들린다.

여기 모인 선생님들은 개학날을 앞에 두고 직원회를 열었다가 각기 자기가 소유한 책상들을 잇대어 서늘서늘한 바람 드나드는 곳에 더위 도니 즐겸 장방형(長方形)의 탁자를 만들어놓

---

334) 미정고(未定稿): 미정초(未定草). 완전(完全)하게 이루지 못한 글 또는 원고(原稿).

335) 명순: 김명순(金明淳). 망양초와 동일인물.

336) 해뜩해뜩하다: 갑자기 얼굴을 돌리며 자꾸 살짝살짝 돌아보다.

337) 석경: (夕景) 저녁 햇빛의 그늘. 저녁때의 경치.

고 여덟 사람이 둘러앉아서 앉은 차례대로 이야기를 시작하였던 것이다.

셋째 번에는 박 선생에게 부딪기다 못해서 이 학교의 음악 선생이 종종히 보이는 버릇대로 그 애교 있는 코를 크크 하면서 유순한 표정으로 빛나는 눈치를 굴려서 풀어본 지 오래인 이야기 끝을 찾는다.

누구든지 이 사무실에 앉았던 사람은 다 먼저 한 선생과 박 선생이 낚시질 하던 이야기와 사냥질 하던 이야기를 할 때는 운수 운수라고 놀림 청을 대었으나 김 선생의 지금 다시 조용하고 엄숙한 태도를 가짐에는 다 옷깃을 넘기고 잘 들으려는 뜻을 보였다. 드디어 음악 선생은 여덟 사람이 두 사람씩 마주 앉은 탁자 가에서 학교 사환이 따라놓는 얼음물을 마시고 너무 긴장하여지는 포정을 누르듯이 한번 가슴을 굽혀서 자결하려는 사람의 그것 같이 비참한 듯한 눈치로 탁자 위만 내려다보다가 가슴을 펴며 다시 휘황한 눈 광채를 나타내이고 찬란한 눈씨로

"아- 그 이름은 선례인줄 기억하지만 아직 그 알 수 없는 여성을 처음으로 만난 것은 일본 경도 '가라스마루' 전차 정류장에서 '구마노진샤' 정류장338)으로 향하는 한때 길 가운데서입니다.

(이 중에 박 군은 대강 짐작이나 하시는지 모르겠지만.)

때는 봄이라면서도 대단히 곱지 못한 날씨여서 어떤 날은 고

---

338) 현 교토 구마노신사(熊野神社). 현 교토시 교통국에서 제공하는 쇼와 36년(1960년) 전차 노선도를 보면 '구마노신사'역이 존재했던 것을 확인할 수 있다. (https://www.city.kyoto.lg.jp/kotsu/page/0000042597.html)

양이 눈깔같이 따뜻하다가도 어떤 날은 뼈마디까지 으슬으슬하게 추웠습니다. 그때 저는 음악가가 될까? 화가가 될까? 하고 두 곳으로 갈라진 길머리에 서서 침식을 잊을 듯이 아득하였습니다. 이미 옛날 믿음에서는 벗어나서 사회를 위하여 봉사하리라 전형적으로 착한 사람이 되리라는 어렴풋한 생각은 없어졌고 다만 음악회와 미술 전람장 새에서 높이 떠보고 싶은 마음을 갈팡질팡 식히면서 어느 곳으로 이끌지 주인의 피리소리를 못 듣는 어린 양 같았습니다. 그래서 어느 때는 색색의 소리를 모은 관현악에 마음이 흘려지고, 또 어느 때는 눈이 깨일 듯한 모양들에 마음이 취하였습니다.

그때 마침 동경서는 표현패에 대하여 대단한 열성으로 연구할 때였던 고로 신문과 잡지는 애써 그 주의를 선전하고 또 같은 파의 그림전람회를 여기저기 열어서 모든 눈을 놀라게 하고 따라서 코호와 코간[339]에게 새로운 찬사를 들이고 부세회판화(浮世會版畫)[340]들이 일요 부록으로 신문만을 보는 사람들에게까지 조의를 식이도록 돌려졌습니다. 그런고로 지금까지 자연주의라든지 진실주의라든지 사실주의에 염증을 깨달은 사람들은 걸어가려 하던 신낭만주의의 중도에서 온몸의 윗동아리를 돌리고 미처 발을 놔두지 못해서 큰 혼돈 가운데 몸을 빠뜨려 애쓸 때였습니다.

또 인상파에서 후기 인상파로 미래파로 표현파로 가다가 길을 어긋나지 못하고 밀리어졌다, 헤쳐졌다 할 때였습니다.

339) 코호와 코간은 빈센트 반 고흐(Vincent van Gogh, バン-ゴッホ)와 폴 고갱(Paul Gauguin, ポール・ゴーギャン)으로 짐작된다.(역자)
340) 우키요에(浮世會) :일본의 무로마치시대부터 에도시대 말기에 서민 생활을 기조로 하여 제작된 회화의 한 양식.

저는 그럴 동안에 칸딘스키[341]의 '베리에이션' 이라든지 '이미테이션' 이라든지에 마음이 이끌려서 그 색채(色彩)를 쓴 것이 선을 쓴 것이 전혀 음악적(音樂的) 구도(構圖)이고 선율(線律)인데 눈이 깨어졌습니다. 그래서 저는 한 그림을 그리려 할 때를 당해서 전일에 자연주의의 학리에서 벗어나려고 하면서 오히려 자연을 배우자 자연을 나타내자 하는 구절(句節)을 생각하고 비웃기도 하고 성내기도 하며 희랍의 예술(藝術)을 생각하고 인간의 가장 훌륭한 역사를 생각하고 마음이 기뻐져서 날뛰게 되었습니다. 그러나 내가 그림을 그리려고 막상 붓을 들었을 때 모든 생각은 나를 버리고 뒤도 돌아보지 않는 것 같았습니다. 더욱이 음악에서 빌어온 모든 선이 제 손끝에는 잡히지 않아서 베토벤의 거인(巨人)의 울음을 쓰랴할 때 참혹히도 당나귀 울음만도 못한 선이 그어지고 쇼팽의 적지 않은 슬픔이 술주정꾼의 숨 지우는 신음(呻吟)만치도 못한 선이 되어 그어집디다. 아- 나중에는 모차르트의 조는 듯한 상령[342]한 선율도 제 말을 안 듣습디다. 저는 거기서 극한 분노와 설움을 느꼈지만 그것도 순전치가 못해서 걷잡아 들만 한 것이 없었습니다. 저는 그런 때 눈이 와서 땅에 내릴 새도 없이 녹아지는 삼월 어느 날, 모여들지 않는 구상(構想)에 그려지지 않는 솜씨에 성이 난 듯이 준비할 일도 없는 것을 '가라쓰마루 산죠' 까지 갔었습니다. 그날따라 날은 구질구질하고 마음은 어지러워져서 불쾌한 열기가 제 온몸에서 일본 누더기 옷[343] 위로 무

341) 바실리 칸딘스키(Wassily Kandinsky): 러시아 태생의 화가. 추상 회화의 창시자이다.
342) 상령(霜翎): 서리같이 흰 빛깔의 날개
343) 원 표기: '눅덱'이옷

럭무럭 김을 올릴 지경이었습니다.
그 모양으로 엉킨 삼실같이 어지러운 머리로 저는 그 아침에 무슨 일이 있었는지 없었는지 그도 분명치 않게 산죠까지 갔다가 전차를 타고 돌아오다가 한 정류장에 이르렀습니다."

여기까지 말을 그치고 음악선생은 한숨을 내쉰다. 그 눈은 비를 내리려는 봄 하늘같이 흐려졌다. 둘러앉아서 이야기 듣던 선생들은 음악 선생의 넓고 처량한 음악성에 마음이 취해서 그 오래 풀지 않고 넣어두었던 실마리가 더 순순히 곱게만 풀리라고 비는 것 같이 바라는 듯하다.

"그가 얼마나 아름다웠는지 지금도 이 입으로는 그 모양을 옮기지 못하는 것을 보시더라도 다 생각이 미치실 듯합니다. 아무렇든지 그 전에 한번 본 듯한 얼굴이었습니다. 혹시 저만 보든 아직 말하지 않은 꿈속에서나 보았든지요. 심히 분명치는 않으나 그가 '가와바다죠' 란 정류장[344]에서 전차 위에 올라설 때 정류장에 같이 섰던 여자 셋이 머리를 발 뿌리까지 굽혀서 절을 합디다. 얼핏 보아도 그는 어느 황족이나 공후작의 집에서 나온 여성으로 보입디다. 그러나 아무것도 모르는 처녀로는 보이지 않습디다.
나는 그때 그 전차 안에 올라앉았던 일이 언제든지 어렴풋한 꿈 가운데 꿈을 되돌아 생각하는 것처럼 희미하기도 하고 또 자기가 늘 의식하여야 할 자신(自身)의 호흡같이 늘 생각은 하면서도 잊는 것 같기도 합니다. 그때 선례는 분명히 나와 엇비

344) 川端町

숫이 마주앉았습니다.

저는 그때 제 온몸이 다 시원해지는 것을 깨달았습니다. 그 크고 맑게 흘러지는 듯한 눈매 또 거기 반듯이 어울리는 길고 가는 몸매 다만 시원한 오래 듣지 못하던 곡조가 내 귀에 흘려지는 듯합디다. 그러면서도 그러한 사람을 어디서 한번 본 듯한 생각은 몹시 선연했었던 고로 저는 그이 앞에서 눈을 감고 모든 길 가운데서 집 가운데서 만났던 여성들은 생각 가운데 불러서 일일이 살펴보았습니다. 해도 그때 골똘하던 생각으로는 얼른 생각이 튀어나지 않습디다. 그럴 동안 제 뺨은 무슨 광선을 받아서 재릿재릿[345] 해지는 것 같았습니다. 그리고 무엇이 제 눈 뜨기를 기다리는 것 같았습니다. 저는 눈을 번쩍 떴습니다. 그 순간의 그 길 가운데 여성(선례)과 눈이 마주쳐서 큰 벌불[346]을 일으키는 듯하였습니다. 그 한순간 후에 그의 눈은 점점 다시 서늘해지고 웃을 듯 웃을 듯한 표정으로 변해지다가 홀연 비웃는 눈치로 변해집디다. 그것은 마치 저를 아느라고 인사하는 것 같기도 생각이 듭디다.

아아, 그 시원한 눈치만은 지금도 아무런 곳을 가더라도 환하도록 길을 밝혀줄 때가 많습니다. 그러나 겨우 그러할 때뿐이지 그 얼굴은 도무지 그 뒤에 눈을 감고 생각해보아도 생각해낼 수 없는 것입니다. 그 행동은 다만 여러 가지 처량한 곡조를 내게 많이 남겨준 것 같습니다. 지금이라도 그이를 생각만 하면 고정(固定)한 모양보다 흐르는 듯한 곡조가 입속으로

345) 재릿재릿: (북한어) 딱하고 애가 타서 가슴이 갑갑할 정도로 마음이 아픈 모양.

346) 벌불: 등잔불이나 촛불에서 심지 옆으로 뻗치어 퍼지는 불. 아궁이에 불을 땔 때 아궁이 밖으로 내뻗치는 불.

우러날 뿐입니다.

두 번째 그이를 만난 것은 경도제국대학 근처였던 미술 전람회장 어구에서였습니다. 여러분 제가 지금 그 미술 전람장에 들어가서 그이가 어쩌하고 섰던 것을 보았다고 말할 줄 짐작하십니까? 혹시 그 여자가 그 아름다운 자기의 초상화 앞에 갖은 교태를 짓고 섰더라고요? 그렇지 않으면 자기 같은 여신(女神)이니 성녀(聖女) 앞에 아롱지게 섰더라고요? 그렇게 할 줄 아십니까. 그도 아니고 저도 아닙니다. 그 미술 전람장에는 제 그림을 출품했었습니다. 그 그림은 '춤추는 여인' 이라고 이름 짓고 일본 기생의 춤추는 것을 그렸습니다. 그것은 사상과 기교를 많이 음악적으로 변화해보았던 것입니다. 놀라지들 마십쇼. 그 아름다운 여자는 내 그림 앞에 냉정한 표정을 짓고 하들한[347] 옷에 쌓여서 그 서늘한 눈으로 이윽히 보고 섰습디다. 그이는 그렇게 내 그림을 한참이나 보고 섰더니 내가 그 뒤에 선 것을 아는지 모르는지 아주 분명한 조선말로 이러한 말을 내 그림 위에 들씌웁디다. "아주 한껏 재주를 피워보았다나 그러나 가엾게도 아주 길을 잃은 사람 같다." 하고 말합디다.

여러분 그때 제가 얼마나 놀랐겠습니까. 그때는 오월이라 매우 더워졌던 때인데도 나는 마치 동지섣달에 얼음물을 머리 꼭대기에서부터 발뒤꿈치까지 들쓰는 것 같았습니다. 너무 얼떨해서 혼 잃은 듯이 섰을 때 그이는 한번 뒤돌아나 보는 것 같더니 어느덧에 그 미술 전람장 밖으로 나아가버렸습니다. 내가 바로 정신을 차렸을 때 밖에서는 자동차 바퀴 돌리는 소리가 납디다. 나는 그날 그때 집으로 돌아와서는 머리를 바위에 드

347) 하들하들하다: 천 따위가 휘늘어질 정도로 연하고 보드랍다.

려 조이는 것 같아서 며칠을 얼빠진 사람 모양으로 시름시름 앓았습니다. 그 며칠 후입니다. 제 그림을 그 미술 전람장에 추천해준 일인 선생한테서 그 그림을 팔지 않겠느냐고 묻는 편지가 왔습디다. 나는 그때 제 양심으로 말하면 벌써 그 그림을 남에게 전할만한 자신이 없어졌노라고 거절했겠지만 기실 남은 다 날더러 부잣집 자식이라고 우러러 보는 이 만큼 내용이 그렇지도 못하던 터이므로 군색[348]에 못 견뎌서 선생에게 대단히 겸손한 뜻으로 팔아도 무방하노라고 답장을 했습니다. 그 후 얼마 있다가 그림보다는 몇 배나 넘치는 큰돈을 제 손으로 받고는 좀 무의미한 생각이 나서 그림 선생에게 누가 그런 큰돈을 내이고 그 그림을 샀느냐고 물어보았습니다. 그때 선생의 말이 자기 친구가 샀는데 아마 누구에게 선물하려고 사는 듯싶더라고 합디다. 나는 더 물을 필요가 없었습니다. 그래서 곧 돈이 손아귀[349]에 들어왔을 때 그러하리라하고 회구(繪具)[350] 화포(畫布)[351]를 많이 사놓고는 경도하압천(京都下鴨川)[352] 개천가에서 사생을 했습니다.

하루는 그 하압천(下鴨川) 다리를 대단히 열심히 그리고 나서 보니까 제정신이 있어서 그렸는지 없어서 그렸는지 시커멓게 브러시로 문질러놓은 자리뿐이오, 한 올의 불명한 선(線)이라고는 보이지 않습디다. 저는 하도 이상해서 스스로 미치지 않았나 하고 의심하여도 보았습니다. 그래도 제 몸 위에 별로

348) 군색하다(窘塞하다): 필요한 것이 없거나 모자라서 딱하고 옹색하다. 자연스럽거나 떳떳하지 못하고 거북하다.
349) 원 표기: 손탁
350) 회구(繪具): 그림 그릴 때 쓰는 붓, 물감 등을 통틀어 일컫는 말
351) 화포(畫布): 캔버스
352) 교토 가모 강(鴨川).

의심할만한 일이라고는 아무리 살펴보아도 찾을 수 없었습니다. 저는 그 이튿날 또 맹렬한 열심히 나서 이상한 기적을 바라는 듯이 꼭 같은 곳으로 가서 화가(畫架)[353]를 받쳐놓고 그렸습니다. 그리고 내 힘을 시험하기 위해서는 한 줄 한 줄을 헤이며 다리를 그리고 삼림[354]을 그리고 그 다리로 삼림에 가는 길을 그리고 삼림 속에 훌륭한 토마식[355] 건축(建築)의 별장을 그려놓고 보니까 이번에는 금방 그려놓은 별장이 아주 하얗게 지어졌습디다. 저는 그때 하도 어이가 없어서 울려고 하여도 얼만한 일에 울지요. 눈물도 안 나옵디다. 그래서 그림 그리던 것을 접어서 어깨 위에 메고는 뒤도 돌아보지 않고 집으로 돌아왔습니다.

그 이튿날 그래도 저는 또 그리러 가는 수밖에 없었습니다. 그래서 역시 꼭 같은 자리에서 꼭 같은 곳을 보고 그리기 시작했습니다. 아아, 여러분. 놀라지 마시오. 제 어깨너머로 기다란 브러시가 넘어와서 제가 한참 정신없이 그리려 할 때 그린 것을 죽 지웁디다. 저는 홱 뒤돌아 보았습니다. 거기 무엇이 있었겠습니까. 제 몸은 뒤를 보느라고 돌린 채로 30분, 40분 동안은 얼어붙었는지 움직일 수가 없었습니다. 그이는 그 아름다운 길 가운데 여성은 그날조차 수수하게 차리고 아주 나를 따라온 사람같이 그 뒤에서 지나는 사람들의 눈을 속이고는 그리했던 것입니다. 그이도 브러시를 쥔 채 웃는 듯 성내는 듯한 애처로

353) 화가(畫架): 이젤
354) 삼림: (森林) 나무숲
355) 토마: [일본어]どま(土間) 봉당;토방. 봉당(封堂): 안방과 건넌방 사이의 마루를 놓을 자리에 마루를 놓지 아니하고 흙바닥 그대로 둔 곳. 토간식 건축이라 말하며 일본 전통 건축 양식의 하나이다.

운 얼굴로 나를 쳐다봅디다. 그렇게 젊지 않고 위엄있게 보이던 여성은 가까이 보니 겨우 열여덟 살이나 되었을지 말았을지 합디다. 그때 나는 스물세 살이었습니다. 그이는 한참 그렇게 섰다가 "용서합쇼." 하고 친하던 사람같이 내게 말을 겹칩디다. 나는 겨우 "아니요." 했습니다. 그러고는 또 입을 다물고 아무 말도 하지 못하였습니다. 그 다음에 그이는 또 바르르 떨리는 작은 입을 열어서 "저를 퍽 수상스러운 여자라고 생각하시지요. 저는 제가 생각해도 참 수상스러운 물건입니다……. 그때는 전차 안에서 당신을 본 후로 어렸을 때 생각이 불같이 일어났습니다. 그 일은 구태여 말할 필요가 없지만 혹시 저를 어디서 보신 일이 없으십니까. 한 오륙년 전에 저는 평양서 한 겨울을 지낸 일이 있습니다……." 합디다. 그때 비로소 저는 생각이 납디다. 어느 바람 센 겨울에 서소문 밖으로 나아가다가 기홀병원[356] 앞을 지나노라니 십오륙 세의 날씬한 처녀가 머리를 총총따서 늘이고 회색무문제병치마[357]에 흰 명주 안팎저고리를 받쳐 입고 병원으로 들어갑디다. 그러나 그 여자보다 지금 눈앞에 섰는 여자는 얼마나 귀족 같았을까요. 그때 그 처녀도 한껏 아름다운 처녀였지만 그래도 꽃이 피지 않은 봉오리의 파르족족한 기운이 있었습니다. 그래서 나는 어름어름하면서 "네……. 지금 생각이 납니다. 평양 서문 밖 기홀병원 앞에서……. 가 아니었을까요." 했더니 그 여자는 얼굴을 잠깐 붉

356) 기홀병원(紀笏病院): 1897년 평양에 설립된 병원. 설립자는 폴웰(E.D. Follwell)이다. 1919년 제중병원과 기홀병원이 합병되어 기홀연합병원이 되었고 1923년 광혜여원과 기홀연합병원이 연합하여 평양연합기독병원(Pyengyang Union Christian Hospital)으로 운영되었다.(한국민족문화대백과사전 광혜여원(廣惠女院) 참고)

357) 회색무문제병치마: 회색 바탕에 작은 무늬가 있는 치마.(역자)

히며 그렇다고 눈으로 말합디다. 그날 저는 그 여자 앞에서 화가(畫架)를 접고 회구(繪具)를 상자에 집어넣은 후로는 다시는 그림을 그리려고도 하지 못했습니다. 저는 그날 최면술 걸린 사람 모양으로 그 여자를 따라서 그가 가는대로 갔습니다. 여러분 또 놀라지 마십시오. 제가 그 하압천 다리 건너 애써 그리려고 하던 별장이 그이의 집이었습니다. 그가 들어갈 때에 조선옷을 입은 남녀 하인들이 나와서 나를 마저 따라갑디다. 나는 그때 참으로 구질한 학생복에 쌓여서 그 화려한 곳에 들어가기가 서먹서먹합디다. 여기 그 화려하던 일들은 너무 시간이 오래질 터인 고로 말하지 않습니다만 내가 그의 뒤를 따라 뱅뱅 돌려놓은 구름다리를 올라갈 때 그이는 내게 그림을 좋아하시느냐고 묻습디다. 그래서 저는 곧 그렇다고 대답하려다가 음악만치는 좋아하지 않는다고 했더니 그 여자의 말이 그러실 것이라고 합디다. 그 다음에 또 그 여자의 말이 이후에도 그림을 또 그리려냐고 묻습디다. 그래서 나는 물론 말할 것도 없이 또 그리겠다고 할 터인데 부지불식간에 무엇을 꺼리는 듯이 또는 웃음거리로 말하듯이 결코 아니 그리겠다고 말해버렸습니다."

여기까지 말하고는 김 선생은 긴 한숨을 쉬었다. 여러 선생들은 아직도 그 뒤를 기다리는 듯이 불타듯 하는 호기심에 눈들이 반짝거린다. 더욱 이야기하던 김 선생 옆에 앉았는 김남숙이란 여선생님은 그 윤택한 살, 눈썹 긴 눈을 애처롭도록 빛내고 그 자줏빛 도는 갸름한 얼굴을 바라본다. 이야기하던 김 선생님은 남숙의 눈에게 "이 뒤를 또 말하마." 하는 듯이 자

기의 눈을 향했다가 말을 잇대인다. 그러면서 다시 긴 비참한 한숨을 한번 짓고,

"아- 생각하면 그때 그것이 제 선생들이 많이 바래주고 길러주던 그림을 못 그리고 이 같이 교원 생활을 하게 된 원인입니다. 나는 그때 뺑뺑 한참이나 돌아서 그 여자와 같이 그 중 화려하게 꾸민 듯한 한 방에 들어갔습니다. 그 방은 서실 비스름하고 내근한 응접실 비스름합디다. 피아노도 놓이고 책장도 놓이고 물론 소파도 놓였습니다. 그 여자는 그 방으로 들어가더니 말없이 탁자 위에 놓였던 고운 램프에 불을 켭디다. 나는 빨간 장을 늘이운 방안에 또 낮인데도 불을 켜놓는 고로 적이 더 이상 했었습니다. 램프의 불은 역시 불그레한 광채를 내입디다. 그러자마자 그 여자의 분길[358] 같은 손이 어느덧 램프를 탁 치니까 마룻바닥에 램프는 깨지고 기름이 쏟아져서 마루 위에서 무서운 불길이 일어납디다. 여러분은 제가 거기서 화재가 일겠다고 말을 하고 수선을 떨었을 줄 짐작하지 않으십니까? 그러나 그렇지 못한 것이 사실입니다. 그 여자는 지금도 그렇거니와 그때는 더군다나 나를 그 종과 같이 지배했습니다. 저는 모든 일을 그 여자가 하는 대로 다만 바라볼 뿐이었습니다. 불은 마루 위에 컴컴한 자리를 남기고는 탁 꺼졌습니다. 아- 여러분 지금 생각하면 그렇듯이 그 여자는 내게 정렬을 향했다가 거두어갔습니다.

- 미완(未完) -

358) 분길(粉길): 분의 곱고 부드러운 결

여학교 통신(女學校 通信)

◇ 아침마다 동포(同抱)의 행복(幸福)을
: 경성배화 금 (京城培花 錦)

세상일은 모두 말과 일과 같아야 한답니다. 우리 배화학교야말로 말과 일과 같습니다. 배화라는 이름과 같이 참말 아담스럽게 꽃을 북돋아 기르는 곳이라는 것을 모두들 아십니까? 꽃은 무슨 꽃이겠습니까? 말씀 안 해도 무궁화(無窮花) 복판인 한양성(漢陽城)을 지키는 인왕산(仁王山) 큰 무릎에 앉았습니다. 우리 학교에는 삼백여 년이나 묵은 큰 홰나무가 교정 한머리에 서서 '네 아무리 힘센 저주(咀呪)일지라도 내 앞은 범(犯)치 못하리라' 하는 듯이 딱 버티고 섰습니다. 그래서 우리들은 서로서로 눈 한번 흘기는 일조차 없이 그저 따뜻하게 그저 싹싹하게 지냅니다. 그러기에 우리가 아침저녁으로 기도실(祈禱室)에 모여서 우리 동포의 행복 빌 때마다 웬 장안(長安)에 행복이 소복하게 피어있는 것 같습니다.

◇ 서늘한 저녁 독서(讀書)
: 개성 C S

호스톤! 호스톤! 갓 그려놓은 수채화(水彩畵) 같이 깨끗하고 어여쁜 송도(開城) 시가를 발밑에 내려다보고 우뚝이 시원스럽게 서 있는 돌멩이 집이 우리 호스톤여학교랍니다. 참말로 '중경(中京) 승지(勝地) 우리 호스톤여숙(好壽敦女塾)은 송악산(松岳山) 아래 좋은 위치 점령했도다' 하는 교가 그대로지요. 학교 문을 들어서서 줄나무(並木)[359] 사이의 서늘한 길을 밟아 올라가면 집 앞에 크디큰 아름드리나무가 여기저기 서 있어서 훌륭한 그늘을 지워주고 있는데 우리는 매양 그곳에 나앉아서 저녁 독서를 합니다. 그러면 대문 밖에서 지나가던 사람들이 우물쭈물하고 서서 기웃기웃하지요. 호스톤은 좋지만 개성 젊은 청년들은 아주 안되었어요.

◇ 아기자기하게 커가는 우리들
: 경성동덕여교(京城同德女教) 김○순 (金○順)

세상에서는 어떻게 아는지 모르지만 참말 아기자기하게 재미있게[360] 오붓하게 커 나아가는 것은 우리들인가 합니다. 우리 학교는 서울하고도 이름 좋은 관훈동(寬勳洞)[361] 첫머리에 탁 자리를 잡고 앉아 19년이나 되는 먼 세월(歲月)을 하루같이 지내오면서 우리같이 어린 처녀(處女)들을 더불어다 한글같이 담쏙담쏙[362] 길러내입니다. 교사(校舍)가 그리 크지는 못하고 운동장(運動場)이 그리 넓지는 못하나 우리가 배우고 놀기에는 다른 널다란 곳보다 도리어 오붓하고 정(情)답고 가까워집니다. 그리고 학교와 같이 19년이나 지내신 조(趙) 교장(校長) 선생(先生)님과 서병훈(徐炳勳) 선생님을 모신 것은 더구나 다른 학교에 없는 특별(特別)한 일이외다. 우리는 날마다 시간(時間)마다 그 차근차근하시고 실지(實地)[363]있고 정다우신 선생님을

---

359) 줄나무: 줄지어 선 나무. 병목[일본어](並木, なみき): 가로수.
360) 원 표기: 자미(滋味)
361) 관훈동(寬勳洞): 서울시 종로구에 위치한 동네 이름
362) 담쏙담쏙: 자꾸 손으로 조금 탐스럽게 쥐거나 팔로 정답게 안는 모양

모시고 아기자기하게 실력(實力)대로 차근차근 커 나아가는 것이 어찌 재미스러운지요.

◇ 천진 그대로
: 서울 숙명(淑明) 눈꽃

우리들은 천진(天眞) 그대로 자라납니다. 그 어느 땐가 어떤 잡지(雜誌)에서 '사람은 모름지기 천진으로 살아라' 하는 글을 읽은 일이 있는데요. 그 글을 읽을 때에 우리 학교(學校)는 어떠한가? 하고 생각(生覺)해보다가 우리 학교가 참말 천진 그대로 길러주는 학교인 것을 깨달았습니다. 선생(先生)님들께서 그러하시기 때문에 우리들도 그것을 배우는 것이겠지요. 지금(只今)부터 3년 전에 7-800원(圓)[364]의 적지 않은 돈을 들여서 서적(書籍)을 사다가 조그만 문고(文庫)를 만들고 학생들에게 읽히게 되었는데 1년이 채 못가서 책(冊)이 한 반(半) 가량(假量)이나 없어졌습니다. 그것은 모두 다 빌렸다가 잃어버리거나 상(傷)해버리고 가져오지 않은 학생들이 많기 때문이었습니다. 그러나 학교에서는 그것을 배상(賠償)케 한다든지 또는 벌칙(罰則)을 주면 고운 성(性)결을 거칠게 하는 것이요, 또는 도리어 거짓을 가르치는 것이요, 천진을 썩는 것이라고 그대로 내버려둡니다. 그리고 그 책들은 생도(生徒)들을 위(爲)해 산 것인데 지금 생도들이 서로 돌려가며 읽는 중이거니 하고 쳐버렸습니다. 이것으로 보더라도 우리 학교가 생도들을 얼마나 천진

---

363) 실지(實地): 거짓이나 상상이 아니고 현실적으로
364) 일제강점기 조선의 화폐. 일본어로는 '엔', 한국어로는 '원'으로 읽었다.

으로 기르려고 힘쓰는지를 짐작하시게 되리라고 생각합니다.

◇ 봄날의 꽃밭같이
: 서울 잿골[365] 백일홍(百日紅)

경성여자고등보통학교(京城女子高等普通學校)라고 이렇게 부르면 어떻게 산뜻하지도 못하고 보드랍지도 못하고 그렇지만 실상은 그렇지도 않답니다. 370의 처녀(處女)가 날마다 모여들고 헤어지고 하는 이 집은 우리들 아직 세상을 모르는 여자(女子)들에게 어떻게 재미나고 정 깊은 곳인지 알지 못합니다. 아무 거친 바람도 아무 험한 물결도 여기만은 일지 아니하고 곱게 아름답게 봄날의 꽃밭같이 기껍게 만지나는 이 집 생활이야 말로 일생에 잊지 못할 것입니다. 그중에도 손정규(孫貞奎) 선생(先生)님이 우리와 같이 계셔주시는 것은 매일 즐겁고 탐탁하여요. 기숙사 사감으로 계시니까 학생들의 행동을 퍽 엄중히 감독하시면서도 한편으로 어떻게 맘붙게[366] 친절하게 해주시는지 모릅니다. 가르쳐주시는 가사(家事) 할자(割煮[367], 요리법)도 정성껏 재미나게 가르쳐 주셔서 괴로울 줄 모르고 배우게 됩니다. 선생님이자 아주머님 같기도 하고 형님 같기도 하게 모든 학생의 정이 이 선생님을 중심으로 하고 한태 엉켜있습니다. 이 학교 살림과 함께 손정규 선생님을 우리는 영영 잊지 못할 것입니다.

---

365) 서울시 종로구 재동의 옛 이름
366) 마음(이) 붙다: 마음이 안착되다. 어떤 것이나 일에 재미가 들다.
367) 벨 할(割), 삶을 자(煮)

◇ 자유롭게 순결하게
: 서울정동(貞洞) 코스모스

하얗게 하얗게 배꽃같이 하얗게 순결을 표증 하는 교복(校服)이라면 누구든지 우리 이화학교를 생각하실 것입니다. 복되게 빛나는 푸른 그늘에 대학 고등학교 보통학교 유치원까지 구비해가지고 우뚝이 서 있는 우리 학교는 내용이 충실하기로나 역사가 오래기로나 조선에 제일입니다. 해마다 6월의 창립기념에 와서 보신 이는 아실 것입니다. 어떻게 순결하게 어떻게 평화롭게 어떻게 자유롭게 우리가 커가는 것을 한번만 보시고도 짐작하실 것입니다. 자유롭게 순결하게 커가자 이것이 우리의 정신입니다. 그리고 끝으로 성악가 임배세 선생님과 인정 많으신 서점순 선생이 계셔주신 것도 우리의 한 가지 기쁨입니다.

◆ 경성(京城)과 지방(地方)을 물론(勿論)하고 각(各) 여학교(女學校)에 다니는 여학생(女學生)께 이러한 통신(通信)을 자주 보내주시기 바랍니다.

편집(編輯)을 마치고

□ 이제야 신여성 첫 호의 편집이 끝났습니다. 잘잘못은 여러분이 보시고 아시려니와 우리 힘껏은 하노라 하였습니다.

□ 편집하는 동안이 마침 중복 말복의 사이라 더워서도 큰 고생이었거니와 제일 여학생 동무가 모두 고향에 가신 중이요, 학교마다 꼭꼭 잠겨있는 때 본사 부인 기자까지 없는 틈이어서 크게 힘이 들었습니다.

□ 여학생들에게 부탁하는 말이란 것도 각 학교 교장 또는 선생님이 모두 여행중이여서 의견을 듣지 못한 분도 많아서 큰 유감입니다.

□ 다음 호는 9월 중에 편집될 것이니까 이번에 빠진 것은 다음에 넣기로 하지요. 별수 없이 되었습니다.

□ 『부인』이 별안간에 변해서 신여성으로는 이것이 첫 시험이오니 읽으신 후에 잘잘못을 말씀해 주시기 바랍니다. 우리 힘껏은 이리이리 하는 것이 여학생 여러분에게 유익하고 취미 있으리라 하나 보시는 이 마음을 모르오니 잘잘못을 말씀해주셔야 당신의 마음에 들도록 고쳐갈 수 있겠습니다.

□ 그리고 글과 소식을 자주 보내주시기 바랍니다. 여학생통

신(女學生通信) 시골 자랑 무엇이든지 보내주시면 감사히 받아 책에 실어드리겠습니다.

□ 책을 편집하는 이외에 실제로 여성운동을 일으켜갈 계획이 온즉 책에 발표 아니할 것이라도 자주 말씀해 주시고 소식을 주시기 바랍니다. 반드시 다른 날에 깨달으시는 일이 있을 것입니다.

□ 끝으로 덥고 바쁘신 중에 써주시는 현덕신씨의 논문 원고가 내일 탈고되는데 일자 관계로 그냥 넣지 못하게 된 것은 너무도 섭섭합니다.

신여성
창간 9월호(創刊九月號)
정가 30전(定價三十錢)

다이쇼 12년 9월 14일 인쇄(大正十二年九月十四日 印刷)
다이쇼 12년 9월 15일 발행(大正十二年九月十五日 發行)368)

경성부 경운동 88번지(京城府 慶雲洞 八十八番地)
편집 겸 발행인(編輯 兼 發行人) 박달성(朴達成)

경성부 청수동 8번지(京城府 靑水洞 八番地)
인쇄인(印刷人) 민영순(閔泳純)

경성부 공평동 55번지(京城府 公平洞 五十五番地)
인쇄소(印刷所) 대동인쇄주식회사(大東印刷株式會社)

경성부 경운동 88번지(京城府 慶雲洞 八十八番地)
발행인(發行人) 개벽사(開闢社)

전화광 1104번(電話光 一一〇四番)
진체경 8106번(振替京 八一〇六番)

매월1일(每月一日)
월수(月數) / 정가(定價) / 우세병(郵稅369) 並)
일개월(壹個月) / 금 300(金 三〇〇) / 우세병(郵稅並)
삼개월(三個月) / 금 850(金 八五〇) / 우세병(郵稅並)
육개월(六個月) / 금 1600(金 一六〇〇)/ 우세병(郵稅並)
일년분(一年分) / 금 3000(金 三〇〇〇)/ 우세병(郵稅並)

---

368) 다이쇼 12년은 서기 1923년이다.
369) 우세(郵稅) ゆうぜい: (일본어) 우편 요금의 구칭

역자의 변

처음 데이터베이스에서 신여성을 찾았을 때는 신기한 기분이었습니다. 고등학교 교과서에 짤막하게 적혀있던 근대 여성 잡지 신여성. 제목만 들어보았지, 내용을 본 적은 없었기 때문입니다. 그렇게 읽은 신여성은 국한문 혼용체에 소리 나는 대로 적은 국어 표기법이라 쉽게 읽히지는 않았습니다. 궁금했습니다. 과연 이 잡지에는 어떤 내용이 수록되어 있을지요.

그래서 우선 창간호만 번역을 도전했습니다. 신여성 창간호의 발행일은 1923년 9월로 번역을 도전한 2023년은 꼭 신여성이 창간 100년이 된 해였기에 2023년 9월을 목표로 번역을 도전했습니다. 그간 여러 사정으로 인하여 목표한 달은 지났지만, 2023년에 신여성 창간호 번역본을 발간하게 된 것에 의의를 둡니다.

번역을 하면서 현대어의 원형을 알게 되는 단어도 몇 있었고, 한글로 쉽게 쓰는 단어의 한자 표기를 알게 된 경우도 있습니다. 잘 모르는 부분은 국어사전, 한자사전, 도서관 서지사항, 신문, 아카이브 등을 뒤지며 비슷한 단어 사용을 찾아 뜻을 유추하고 되짚어보며 번역했습니다. 그렇게 찾아도 뜻을 알 수 없는 단어는 원 표기대로 옮겼습니다. 역자는 국어 전공자가 아닌 관계로 혹시 미흡한 부분이 있다면 양해 부탁드립니다.

신여성으로 만난 1920년대 선조들은 생각보다 과학적이고 현대적인 삶을 살고 있었습니다. 또 그때의 고등학교 학생은 생각보다 활동적이고 어른스러운 모습으로 신여성에 비추었습니다. 활자로 만난 1923년의 조선은 총독부의 검열을 피할 수는 없지만 그 안에서 조선인들의 생각과 그 뜻을 또렷하게 전하며 살고 있음을 알 수 있었습니다.

개벽사의 신여성은 총 71호까지 발간이 되었습니다. 다음 번역본을 읽어보기를 원하는 독자분이 계시다면, 시간과 여건이 허락하는 한에서 다음 호도 번역을 도전하고 싶은 마음입니다.

다시 읽는 신여성 창간호와 함께해 주셔서 진심으로 감사합니다.

- 2023. 11. 한요진 드림 -